"Deseo Agradecer a magnífico ejemplar ilustrativo, que permite de forma sencilla comprender algunos aspectos importantes a tener en cuenta por la población de inmigrantes residentes en el área. Es una información clara y precisa, que responde preguntas cotidianas de la persona inmigrante."

- *Andrés Salinas*

"Información es poder. Durante décadas nuestra gente ha sufrido los resultados de la falta de información de esta índole y este documento es más que una herramienta que informa adecuadamente a cada persona que definitivamente los librará de muchos problemas. Felicidades Abogada Liliana Jones Muñoz. Excelente trabajo."

- *Jorge Fuentes, Red de Oración USA*

"Un libro muy completo y ante todo práctico, con ejemplos concretos y actuales sobre situaciones comunes que vivimos los inmigrantes de los Estados Unidos."

- *Adriana Barrrenche, Attorney at Law*

"La vida podrá venir sin instrucciones...

Pero la vida de un migrante ahora podrá ser diferente gracias a tu dedicación por brindarnos una guía completa y práctica de nuestros derechos y obligaciones.

Explicándonos la nuevas reglas y reformas, en los cambios constantes de las leyes migratorias hacia nuestra comunidad migrante, lo que nos beneficia y perjudica, para alcanzar ese sueño americano, indicando como obtener una residencia permanente e incluso un camino a la ciudadanía, tomando en cuenta cada uno de los consejos y hechos reales que ha vivido a través de su carrera como abogada de Inmigración."

- Jesús Chuy Serna, Organizador Comunicatorio

"Al leer este libro, me queda claro que tenemos que estar informados de primera como inmigrante y más en estos tiempos. Muy completos e informativos estos 100 puntos básicos para cualquier inmigrante."

- Rafael Duenas, Inmigrante Mexicano

CONO CIMIEN TO

LA LLAVE DEL ÉXITO DE TODO INMIGRANTE

CONOCIMIENTO
LA LLAVE DEL ÉXITO DE TODO INMIGRANTE

La información contenida en este libro tiene como propósito brindar información general y no puede ser tomada como consejo legal en cuanto a su caso particular, ni pretende ser una garantía o predicción respecto al resultado de su asunto legal. Este libro no está diseñado para reemplazar el consejo profesional de un abogado. Cada caso es diferente y único, la ley de inmigración está en constante cambio. Si algunas de las situaciones descritas en este libro aplican para usted, consulte con su abogado.

Published by Fig Factor Media, LLC.
Printed in the United States of America
Cover Design and Layout by Juan Pablo Ruiz

ISBN: 978-1-7342369-6-5
Library of Congress # 2020904313

A todos mis clientes, quienes me abrieron sus corazones y me motivaron con sus historias a recopilar lo que necesitaban saber al decidir vivir en EE. UU.

AGRADECIMIENTO

Sin tu ayuda no habría tenido la determinación de escribir ni siquiera la primera palabra de este libro. Gracias por hacer este sueño realidad. Caminando a tu lado todo ha sido posible. Gracias Pachuchito y a ti Neal por tu apoyo incondicional.

PRÓLOGO

Como mujer, madre, esposa, amiga, propietaria de un negocio e inmigrante en los Estados Unidos es un honor poder escribir sobre la relevancia de este libro. Un libro no sólo destinado a los inmigrantes que desde hace mucho tiempo buscan respuestas claras y sencillas sobre el proceso de inmigración, sino también para quienes están preparando su llegada a este país, que para muchos sigue siendo la oportunidad de encontrarse con el famoso sueño americano. Sin embargo, no son pocos los casos en que en lugar del sueño se encuentran con la pesadilla de la jaula —y no de oro— donde quedan atrapados todos los anhelos de futuro.

Nacida en Colombia y radicada en este país desde hace más de 10 años, Liliana es un ejemplo de tenacidad y éxito logrados sobre la base del trabajo, la perseverancia, y el amor por la carrera. Cabe notar llegó a este país con los mismos sueños de quienes inmigramos. Siendo abogada en su país, se fijó como meta pasar el examen de la barra de abogados en Illinois y en su segundo año de haber llegado a este país empezó a construir su sueño y es así como estudiado al mismo tiempo la ley de EE. UU. e inglés, más de 12 horas cada día durante un año, logró pasar el examen de barra en 2013, y de esta manera obtener su licencia de abogada.

Liliana sabía que enfocaría su práctica legal a ayudar a la comunidad hispana a encontrar los caminos para convertirse en residentes legales; es así como luego de varios años ejerciendo como abogada de inmigración en el país, sintió la necesidad de responder preguntas básicas sobre esta temática con el propósito de ayudar a prevenir diversos errores que generalmente obstaculizan el proceso de solicitud de residencia o ciudadanía en los Estados Unidos.

Este libro proporciona una guía sencilla y amigable para que todo inmigrante que desee resolver su situación migratoria puede encontrar las respuestas básicas a sus preguntas. El libro de ningún modo busca sustituir la asesoría legal de los abogados. Este no es un libro más sobre inmigración, donde el lenguaje es complicado y confuso. La autora tuvo la intención especial de ofrecer un material de lectura sencilla pero no por eso escasa, al contrario, en él encontrará la información necesaria para orientarlo en su situación.

Durante todos estos años como asesora financiera y agente de seguros, siempre dediqué gran parte de mi trabajo a educar a nuestra comunidad hispana, con respecto a la importancia de estar bien informados para tomar mejores decisiones y no perder oportunidades. En esta época en la que la tecnología nos ayuda a encontrar respuestas a todas nuestras preguntas, resulta esencial tener una fuente de información simple, veraz y completa en la que todas las preguntas básicas y frecuentes sobre los trámites de inmigración puedan ser respondidas. De eso se trata este libro. Su formato particular de preguntas y respuestas facilita la identificación de la información necesaria y ayuda a tomar decisiones basadas en información concreta y confiable.

Por todo esto y más, me llena de felicidad poder ver el sueño de Liliana en pro de la comunidad hecho realidad.

—**Gabriela Reyna**, LUTCF

COMO USAR ESTE LIBRO

El objetivo de este libro, es el de informar, ilustrar y explicar con ejemplos situaciones que por desconocimiento pueden impactar negativa o positivamente su futuro migratorio en los EE. UU. Es aconsejable buscar siempre la asesoría de un abogado profesional para cada caso si usted se encuentra en alguna de las situaciones descritas aquí.

ICONOGRAFIA

Los iconos o gráfico en los títulos corresponden a la categoría de leyes de las cuales se habla en ese capítulo. Las categorías son las siguientes:

 Personas Sin Estatus

1, 2, 3, 4, 5, 6, 7, 8, 9, 10, 11, 12, 13, 14, 15, 17, 18, 19, 20, 21, 22, 23, 24, 25, 26, 27, 31, 32, 33, 34, 35, 36, 37, 38, 39, 40, 41, 42, 43, 44, 45, 46, 47, 48, 49, 50, 51, 52, 53, 54, 56, 57, 59, 60, 61, 62, 63, 64, 65, 66, 68, 70

 Personas Residentes

2, 6, 17, 18, 19, 21, 22, 27, 28, 29, 30, 32, 33, 36, 37, 38, 39, 46, 47, 48, 49, 52, 55, 58, 60, 63, 64, 67, 68, 69, 70

Casos Criminales

1, 5, 6, 17, 18, 19, 20, 27, 28, 31, 33, 38, 39, 42, 58

 Casos Familiares

4, 9, 10, 11, 16, 18, 20, 22, 23, 24, 25, 34, 59, 60, 73, 79

 Impuestos

2, 3, 21, 73

 Turismo

13, 16, 39, 43, 53, 56, 61, 66, 98

 Corte

7, 8

TABLA DE CONTENIDO

———

1. Ser víctima de un acto criminal, puede ayudarlo a que aplique para un beneficio conocido como la Visa U, reportando lo ocurrido a las autoridades, sin retirar los cargos y colaborando con ellas 17

2. Recibir su pago o salario en efectivo, lo obliga a pagar impuestos ("taxes") 19

3. Declarar muchos dependientes en sus "taxes" puede perjudicar su futuro caso de inmigración 21

4. Trabajar con documentos falsos y ser acusado de esto, aumenta sus riesgos a ser deportado 23

5. Informar a su abogado su estatus legal en EE. UU al verse involucrado en un caso criminal 25

6. Ser inocente, y declararse "culpable" puede afectar gravemente su futuro en EE. UU 27

7. Ser citado por La Corte de Inmigración y no asistir, puede causar automáticamente su deportación 29

8. Si no se presentó a una corte de inmigración con una causa justificada, debe reportar esto inmediatamente para que no afecte su caso 31

9. Si la persona que presento una petición en inmigración en su nombre ha fallecido, todavía puede tener la oportunidad de continuar el trámite por su estatus 33

10. Saber que, aunque se haya divorciado de su pareja y su ex conyugue tiene una petición de algún familiar presentada antes del 30 de abril del 2001, y Ud. ya estaba casado antes de esa fecha con esta persona, todavía tiene el beneficio legal de poder ser residente a través del beneficio conocido como 245i; sin tener que salir de estados Unidos, pagando una multa de $1000. 35

11. Tener un hijo ciudadano, no garantiza el logro del trámite de su residencia cuando él cumpla los 21 años..........................37

12. Es recomendable guardar los documentos que prueben que su estadía en EE. UU. 39

13. Entrar a los EE. UU. con un permiso o visa de turista, afecta su visa si se queda más tiempo del permiso que le dieron al ingresar......41

14. Aplicar para la residencia por la creencia de que si se tiene un hijo ciudadano americano enfermo o discapacitado, esta es concedida, sin medir las consecuencias reales que esto puede traer a los padres que la solicitan 43

15. Llevar 10 años o más tiempo en los EE. UU. no es un camino directo para obtener un permiso de trabajo o la residencia permanente..45

16. Ingresar a los EE. UU. con visa de turista y contraer nupcias, estudiar o trabajar en los primeros 90 días, podría ser considerado fraude 47

17. Llevar marihuana puede afectar su situación migratoria? 49

18. Reprender a sus hijos con castigo físico —así sea una palmada— puede acarrearle acusación de violencia doméstica...................51

19. Llevar licor en su carro, así ud no haya bebido le puede afectar y puede causarle problemas legales...................................53

20. Tener un cónyuge ciudadano o residente legal, le podría arreglar su estatus legal si fuera víctima de maltrato físico y/o psicológico sin tener que reportar esta situación a las autoridades a través de la visa VAWA 55

21. Evite mentir al momento de presentar sus impuestos como soltero o cabeza de familia estando casado.................................57

22. Debe divorciarse antes de casarse nuevamente, no importa que haya estado separado de su pareja por muchos años 59

23. Una petición presentada por sus padres residentes será cancelada si contrae matrimonio 61

24. Sus hijastros ciudadanos estadounidenses podrían ayudarlo en determinados casos en el trámite de su residencia, si se casó con el padre o la madre antes de que cumpliera el hijastro 18 años ... 63

25. Si los hijos son admitidos a las fuerzas militares, los padres podrían solicitar un permiso para estar en EE. UU. conocido como "parole in place" 65

26. El servicio de voluntariado puede ayudarles en cualquier momento en su caso migratorio 67

27. Los cargos criminales nunca se borran con el paso del tiempo ... 69

28. Ser residente legal no implica que no pueda perder la residencia 71

29. Salir de EE. UU. por más de 6 meses como residente y no informar esto, podría acarrear que se considere como abandono de residencia 73

30. Ser hombres residentes legales entre los 18 y 26 años, obliga a registrarse en el Sistema de Servicio Selectivo 75

31. Trabajar con un seguro falso y utilizarlo para realizar transacciones constituye violación a la ley 77

32. Intentar ingresar o entrar a EE. UU. con información falsa (nombre, fecha de nacimiento u otra nacionalidad) podría a futuro acarrear muchas dificultades en su situación migratoria 79

33. Cometer un delito menor y solicitar un "expunge", o sea, que se lo borren, implica a futuro reabrir ese caso para pedir copia de la disposición y presentar ese documento o disposición para su caso en inmigración 81

34. En caso de ser detenido por ICE necesita un poder de abogado para que sus hijos menores de edad no queden al cuidado de extraños 83

13

35. Estar en EE. UU por más de un año sin autorización, salir y volver a ingresar sin autorización bloqueara sus opciones de poder ajustar su estatus legal en este país 85

36. Los récords de inmigración jamás se borran con el tiempo 87

37. Mientras que en los países latinoamericanos sí, en EE. UU. los notarios públicos no son abogados 89

38. No pagar las multas o no cumplir con las horas de servicio comunitario, que un juez le ordene puede traerle consecuencias no solo criminales sino que también podría colocarlo en proceso de remoción o deportación. 91

39. Cumplir los mandatos de la señales de tránsito es importante....93

40. Si va a solicitar asilo debe presentar su solicitud en el primer año de haber ingresado a EE. UU. 95

41. Sacar la licencia de conducir implica informarse bien, pues cada estado tiene sus propias reglas 97

42. Abrir la puerta de su casa si a ella llegara ICE , no es obligación, a menos que tengan una orden firmada por un Juez con dirección y nombres correctos 99

43. Si entró a USA con una visa de turista u otro tipo de visa, puede solicitar un cambio de estatus a otro tipo de visado antes que su visa o permiso expire 101

44. Calificar para la visa U o visa VAWA, no implica el ser citado junto con su expareja ante un Juez o las oficinas de inmigración 103

45. Estar pendiente de los permisos de trabajo para renovarlos cuando corresponda 105

46. Registrarse para votar siendo residente legal puede traer consecuencias 107

47. Creer en lo que le dicen otras personas acerca de inmigración sin consultar con un abogado 109

48. Creer que es obligatorio para una mujer llevar el apellido del esposo al casarse 111

49. No iniciar un trámite en inmigración sin solicitar su récord si tuvo detenciones en la frontera o cualquier interacción con oficiales de migración 113

50. Trabajar en EEUU con otra identidad afectara las posibilidades de que pueda ser residente legal 115

51. Tener tatuajes relacionados con "gangs" (pandillas)..................117

52. Pensar que un ciudadano o residente legal puede solamente presentar una sola petición al mismo tiempo 119

53. Tener visa de turista y al llegar a los EE. UU. estudiar o trabajar .....
....121

54. No salga de EE. UU sin consultar con su abogado si tiene una petición o una solicitud pendiente con el departamento de inmigración 123

55. Salir de EE. UU. por más de 6 meses, siendo residente legal puede ser cuestionado por la ayuda pública que haya recibido al regresar nuevamente a EE. UU. 125

56. Cuidarse de salir de territorio estadounidense, si no es residente legal, al visitar por ejemplo las Cataratas del Niágara 127

57. Aplicar para un perdón provisional por estar en los EE. UU sin autorización es posible a través de padres o esposos residentes..129

58. Es residente legal y está pensando en aplicar para hacerse ciudadano de EE.UU? Entonces preste mucha atención a la pregunta número 22 de la aplicación de Ciudadanía 131

59. Evitar como padres traer a sus hijos a los EE. UU sin un permiso o autorización 133

60. Evitar animar o ayudar a otros a entrar a EE. UU. sin autorización...135

61. Utilizar redes sociales inapropiadamente podría afectar su caso de inmigración 137

62. Solicitar un permiso o "parole" para salir de los EE. UU. y salir antes de que éste sea otorgado tiene consecuencias 139

63. Comprar, consumir o trabajar en lugares donde la marihuana está estatalmente permitida puede afectar a cualquier persona que no sea ciudadana 141

64. Evitar omitir información acerca de antecedentes criminales en su país de origen al aplicar para una visa de inmigrante o de no inmigrante 143

65. Aplicar para la Visa U, por ser víctima de violencia doméstica, no solamente es para mujeres u hombres que han sido víctimas de su pareja 145

66. Dar a luz durante una estancia en EE. UU. y permitir que los gastos del parto sean cubiertos con dineros públicos puede ser causal de la pérdida de la Visa de turista 147

67. Ser infiel al cónyuge puede poner en tela de juicio su buena moral a la hora de aplicar para la ciudadanía 149

68. Evitar ocultar a alguno de los hijos, ya sean biológicos, adoptivos o civiles, en los trámites migratorios donde se solicite está información 151

69. Informarse a la hora de contraer matrimonio con persona del mismo sexo, si se quiere ser residente legal de EE.UU 153

70. Respecto al Real ID o identificación real 155

GLOSARIO 175

ACERCA DEL AUTOR 179

1

Ser víctima de un acto criminal, puede ayudarlo a que aplique para un beneficio conocido como la Visa U, reportando lo ocurrido a las autoridades, sin retirar los cargos y colaborando con ellas.

Amelia, una mujer nacida en de Guatemala, llegó a EE. UU. en el año 2013 y durante su primer año de estadía, fue víctima de violencia doméstica por parte de su compañero sentimental, otro inmigrante, de quien, además, recibía amenazas constantes de avisar a inmigración si lo denunciaba por su comportamiento agresivo con ella. Haciendo caso omiso a estas amenazas, ella acudió a las autoridades y lo denunció. Ante esta situación que lo comprometería con la justicia norteamericana, su compañero sentimental y su familia la convencieron de no presentarse a la corte. Él entretanto, le prometió cambiar de actitud. Amelia, decidió no presentarse a la corte y los cargos en contra del compañero sentimental fueron desestimados, es decir, quedó sin cargos.

Haber tomado esa decisión, la llevó a perder la oportunidad de poder cambiar su estatus legal migratorio en los EE. UU. por no haber colaborado con las autoridades. Si Amelia se hubiese presentado en la corte, podría tener beneficios legales, pensado para las personas que son víctimas de actos de agresión violenta como este, y que colaboran con las autoridades.

Si se es víctima de alguno de los delitos especificados aquí, denuncie lo ocurrido, colabore con las autoridades y no retire los cargos. Este beneficio es conocido como VISA U y abarca cualquiera de los siguientes delitos:

- Acecho
- Agresión con arma
- Agresión sexual
- Asesinato
- Chantaje
- Acto sexual abusivo
- Detención ilegal
- Explotación sexual
- Extorsión
- Fraude en la contratación de mano de obra extranjera
- Homicidio
- Incesto
- Manipulación de testigos
- Mutilación genital femenina
- Obstrucción de justicia
- Perjurio
- Prostitución
- Rapto
- Control criminal ilegal
- Secuestro
- Servidumbre involuntaria
- Toma de rehén
- Tortura
- Trabajo forzado
- Trata de esclavos
- Trata humana
- Violación
- Violencia doméstica
- Otros crímenes parecidos a los aquí citados y también la tentativa o conspiración de estos crímenes.

ESTE BENEFICIO TAMBIÉN AMPARA:

- A los esposos (no causantes del daño) e hijos menores de 21 años
- O si usted es menor de 21 años la visa U también beneficia a sus padres o a sus hermanos si ellos son menores de 18 años.

2

Recibir su pago o salario en efectivo, lo obliga a pagar impuestos ("taxes").

Carlos es un trabajador dedicado a actividades de construcción. No cuenta con un número de Seguro Social y las personas que lo contratan le pagan siempre en efectivo. Desde que llegó en el año 2000, Carlos no ha pagado sus impuestos ("taxes") porque piensa que no está obligado a hacerlo porque le pagan en efectivo (cash). Él no sabía que para hacer sus "taxes", no necesita un número de Seguro Social, puesto que él podía aplicar para obtener un ITIN number (número de identificación tributaria). Este número puede ser solicitado por todas las personas sin un estatus legal y que no tengan un número de seguro social de esta manera podrán presentar sus impuestos.

Como inmigrante, es importante presentar sus impuestos, de esta manera, ese pago le ayudará a demostrar cuánto es lo que Ud. gana o produce. Así, por ejemplo, si Ud. va a tener una cita en un consulado de los EE. UU. en su país de origen, los oficiales querrán ver si lo que Ud. produce, o lo que gana, es suficiente, o si va a necesitar ayuda del Gobierno para sus gastos y los de su familia. En la actualidad, tener un espónsor o patrocinador, ya no es suficiente para demostrar que no será una carga pública.

Además, el IRS puede sancionarlo por no cumplir esta obligación y estas sanciones pueden ser económicas o tener implicaciones de orden legal. Carlos debe pagar sus impuestos (hacer sus "taxes") para que a futuro pueda tener la opción de poder legalizar su situación en EE. UU.

Si Ud. es residente legal recuerde que es una obligación presentar sus impuestos, sin importar la manera como le remuneren, puesto que no hacerlo puede afectar su residencia, y la posibilidad de hacerse ciudadano.

El hábito en el pago de sus impuestos ("taxes") se traduce en buena manera en la posibilidad de mejorar su estatus migratorio.

3

Declarar muchos dependientes en sus "taxes" puede perjudicar su futuro caso de inmigración.

Enrique, aconsejado por su preparador de impuestos ("taxes"), coloca como dependes o dependientes a sus sobrinos, quienes están en México, porque cree que así recibirá más dinero de reembolso a la hora de hacer sus impuestos. Enrique está casado, tiene hijos, esposa y también ayuda a sus padres. Él ignora que, con los nuevos cambios en la ley de inmigración, al poner a sus sobrinos como dependientes va a tener que demostrar que tiene suficientes ingresos para ayudar a toda su familia sin tener que pedir ayuda pública y podría tener dificultades al momento de legalizar su estatus y al salir a presentar una entrevista en su país de origen.

En general, poner dependientes que no le correspondan hará más difícil demostrar que el inmigrante es autosuficiente, porque sus ingresos deben ser suficientes para proveer de lo necesario a su familia y no depender de ayuda pública. Adicional a esto, declarar personas que realmente no sean sus dependientes puede traer sanciones con el IRS.

4

Trabajar con documentos falsos y ser acusado de esto aumenta sus riesgos a ser deportados.

José ha trabajado con una green card falsa desde hace varios años y en su último trabajo un compañero lo acusó poniéndolo al descubierto sobre esta situación de trabajar con una green card falsa.

Un día cualquiera llegaron las autoridades de policía a buscarlo y se lo llevaron detenido, José fue acusado por el uso de documentos falsos con la intención de engañar a otros, él no fue condenado a prisión solamente tuvo que pagar una multa de 100 dólares lo cual él hizo, desafortunadamente días después José fue puesto a disposición de las autoridades de inmigración quienes adelantaron un proceso para que sea deportado.

José llevaba más de 20 años en los Estados Unidos y además tiene varios hijos y el único cargo que tenía en su récord fue el incidente que tuvo en su trabajo por trabajar con la green card falsa. El juez de inmigración tomó la decisión de deportarlo, por cuanto el delito del cual fue acusado se considera un delito contra la moral y las buenas costumbres; este tipo de infracciones tienen serias implicaciones en inmigración. A pesar de que muchos inmigrantes no tienen otra opción para trabajar que la de presentar estos documentos falsos, el hecho de que muchos lo hagan ha hecho de que se vuelva algo cotidiano, llevando a pensar a muchos inmigrantes que esto está permitido y que no los puede afectar o que no pasa nada.

El caso de José llegó hasta la instancia más alta de la justicia en Estados Unidos, La Corte Suprema de Justicia quién le negó la solicitud para no ser deportado, por considerar que este tipo de infracciones a la ley son muy serias, por ser consideradas como actos deshonestos. José fue deportado de Estados Unidos y para poder regresar deberá solicitar perdones migratorios que le permitan poder estar con su familia nuevamente.

En conclusión, trabajar con documentos falsos, realizar transacciones comerciales como compras utilizando estos documentos, pueden ocasionar que el inmigrante sea deportado de Estados Unidos. Si usted está en esta situación consulte con su abogado para que lo asesore sobre este tema y así evitar que usted resulte en la difícil situación de estar en un proceso de deportación.

La Corte Suprema de Justicia de los Estados Unidos ha determinado que los inmigrantes acusados por este delito pueden ser deportados, a pesar de que esta infracción a la ley sea considerada en muchos casos, como un misdemeanor o una infracción menor.

5

Informar a su abogado su estatus legal en EE. UU. al verse involucrado en un caso criminal.

José fue arrestado por tener una pelea con su novia, a pesar de que él puede demostrar que esto no es cierto, no le dijo a su abogado su estatus legal por temor a que su situación migratoria empeorara. Éste le recomendó declararse culpable para que le bajaran los cargos y salir pronto de esta situación.

Es supremamente importante que todo inmigrante le diga a su abogado desde un comienzo cuál es su estatus migratorio, de tal manera que como en este caso al verse involucrado en un posible caso criminal, pueda hacer valer sus derechos ante un juez; declararse culpable puede traerle consecuencias negativas, no solo desde el punto de criminal, sino afectar su estatus migratorio en el presente o en el futuro, porque podría verse enfrentado a un proceso de remoción o deportación.

6

Ser inocente, y declararse "culpable" puede afectar gravemente su futuro en EE. UU.

Fernando fue detenido por un oficial por exceso de velocidad, el vehículo que manejaba era de un amigo y en su interior se encontraban botellas de licor. En estas circunstancias, ante tal evidencia fue acusado de conducir bajo estado de embriaguez a pesar de que no había bebido, y que las botellas no eran de él, además con exceso de velocidad.

Fernando le dice a su abogado que no tiene estatus legal en EE. UU. a pesar de esto, el abogado designado le recomienda declararse culpable para que pueda salir pronto de su detención. Éste atemorizado por su situación y por no tener documentos que acreditarán su estatus legal en EE. UU. acepta los cargos, desconociendo que un DUI o el manejar bajo los efectos del alcohol tienen implicaciones negativas en su historial migratorio.

Todo inmigrante debe asegurarse de preguntar antes con su abogado, en caso de verse envuelto en una acción judicial o contravencional en su contra, **debe saber con anticipación** las opciones reales de su caso, es decir, no aceptar cargos por temores a una detención muchas veces injusta, con el propósito de terminar su caso rápidamente, pudiendo echar mano de las herramientas legales del Estado, ejercer su derecho a la defensa y conseguir salir libre de culpa.

7

Ser citado por La Corte de Inmigración y no asistir, puede causar automáticamente su deportación.

María fue detenida en la frontera, sin embargo, le permitieron ingresar a los EE. UU. para iniciar un proceso de asilo. La Corte la citó el 1 de julio del 2019, con el fin de debatir y resolver su caso, pero ella – aconsejada por sus familiares y amigos–, decidió no presentarse. María ignoraba que, al no presentarse al llamado judicial, quedaría automáticamente deportada, complicando seriamente sus posibilidades de poder legalizar su situación en un futuro si llegase a tener alguna alternativa.

Las citas en una Corte de Inmigración se deben cumplir. El hecho de incumplir estos llamados, quizás aconsejados por otras personas que desconocen las leyes americanas, los hacen quedar de manera automática en estatus de deportación, lo que hará más difícil arreglar su situación migratoria si en el futuro llegaren a tener una alternativa para obtener su residencia. Siempre recuerden consultar al menos con dos o tres abogados de inmigración para que los orienten sobre las opciones de su caso en la Corte de Inmigración, así se tendrán varias opiniones y se tendrá un panorama real sobre las posibilidades que se tiene de estar en EE. UU.

8

Si no se presentó a una corte de inmigración con una causa justificada, debe reportar esto inmediatamente para que no afecte su caso.

María quien tenía pendiente un caso de asilo, fue citada a la Corte el 1 de julio del 2015. El día anterior a su cita, su hijo se enfermó y tuvo que estar con él en el hospital, por lo que no se pudo presentar a su cita en la Corte. María dejó pasar el tiempo sin informar la razón de su inasistencia ignorando que al no presentarse en la fecha señalada iba a quedar automáticamente deportada. María tenía muchas posibilidades de prosperar en su caso de asilo en ese entonces, pero al no presentarse, y no acreditar una excusa válida por su inasistencia, además de dejar pasar más de 180 días desde el día de la cita ante la Corte, perdió una gran oportunidad en su caso, ya que la enfermedad de su hijo era una causa suficiente para justificar su ausencia en la Corte y solicitar así una nueva audiencia ante el Juez.

El ignorar que podía reabrir su caso dentro de los 180 días siguientes a su cita le quitó una gran oportunidad de luchar por su caso de asilo.

Si por alguna razón Ud., no se presenta a la Corte de Inmigración el día de su cita, consulte con un abogado, ya que dependiendo del motivo que originó la inasistencia, podría tener la posibilidad de reabrir su caso y demostrar así, que califica o cumple con los requisitos para que su caso de asilo sea aprobado.

9

Si la persona que presento una petición en inmigración en su nombre ha fallecido, todavía puede tener la oportunidad de continuar el trámite por su estatus.

Manuel tenía por parte de su padre, quien era a su vez ciudadano estadounidense, una petición aprobada. Cuando Manuel fue citado en su país de origen, su padre había fallecido, éste al pensar que no había nada que hacer, no asistió a la citación pues pensó que al morir su padre ya no podía continuar con su trámite de migración, ignoraba que podía solicitar un "reinstatement" o, en otras palabras, que podía solicitar se reabriera su caso, sin perder todo el tiempo que ya había transcurrido desde que su padre presentó la petición.

Si el familiar que presentó una petición por Ud. fallece, no dude en consultar con su abogado, porque aún puede tener la posibilidad de reabrir su caso y continuar con el trámite, cada caso es diferente y factores como dónde Ud. se encontraba al momento del fallecimiento de su familiar, o si la petición estaba aceptada o aprobada van a influir en que su petición este activa nuevamente.

10

Saber que, aunque se haya divorciado de su pareja y su ex conyugue tiene una petición de algún familiar presentada antes del 30 de abril del 2001, y Ud. ya estaba casado antes de esa fecha con esta persona, todavía tiene el beneficio legal de poder ser residente a través del beneficio conocido como 245i; sin tener que salir de estados Unidos, pagando una multa de $1000.

Guadalupe y Rodrigo se casaron en 1999, luego entraron a EE. UU. cruzando la frontera sin ningún permiso. Guadalupe tenía una petición para hacerse residente presentada por un hermano antes del 30 de abril del 2000, Guadalupe y Rodrigo están en los EE. UU. desde el año 1995, la relación matrimonial no prosperó y deciden divorciarse. Rodrigo, decide regresar a su país de origen, sin embargo, él no sabía que, a pesar del divorcio, todavía tenía el beneficio conocido como la 245 (i) a través de la petición que su excuñado había presentado por su exesposa y que Rodrigo hubiese podido aplicar para su residencia en un futuro dentro de los EE. UU. sin tener que salir.

Al regresar Rodrigo a su país perdió la oportunidad de

legalizar su estatus dentro de los EE. UU. solo pagando la multa de 1.000 dólares y aplicando a través de uno de sus hijos ciudadanos cuando tuvieran 21 años. Por lo tanto, Si Ud. o su pareja tienen una petición en su nombre, o quizás algún hermano de sus padres hubiese presentado una petición a inmigración antes del 30 de abril del 2001, no dude en consultar con un abogado, ya que puede ser elegible para este beneficio.

11

Tener un hijo ciudadano, no garantiza el logro del trámite de su residencia cuando él cumpla los 21 años.

Ha existido siempre la creencia de que, si se tiene un hijo ciudadano americano mayor de 21 años, éste podrá pedir la residencia de los padres para ajustar su estatus legal o hacerse residentes en EE. UU. Pero muchos ignoran que para poder lograrlo no es suficiente solamente con la petición de un hijo, especialmente para aquellos que entraron a EE. UU. sin permiso. La ley de inmigración es más exigente porque en la mayoría de los casos, los padres necesitan aplicar para un perdón y los hijos no han sido incluidos como familiares que puedan ayudar a los padres para aplicar para un perdón.

Si tiene hijos nacidos en los EE. UU. y se ha permanecido sin ninguna autorización en EE. UU. para poder tener sus documentos como residente, necesita aplicar para un perdón si su cónyuge o sus padres son ciudadanos o residentes, o quizás alguno de sus hijos está prestando sus servicios en el ejército, o tiene alguna petición a su nombre como principal beneficiario o si se es el cónyuge o hijo de alguien que aparece como principal beneficiario de una petición que haya sido presentada antes del 30 de abril del 2001.

Arreglar su situación migratoria a través de los hijos nacidos en EE. UU. si se permaneció en este país sin autorización es uno de los engaños que más utilizan los tramitadores para quitarles el dinero y colocarlos en situaciones que se hubieran podido evitar.

Si se tienen hijos ciudadanos, se debe consultar con un abogado para que evalúe si existe alguna otra alternativa para Ud. a través de sus hijos.

12

Es recomendable guardar los documentos que prueben que su estadía en EE. UU.

Todos los inmigrantes tienen la esperanza que en algún momento habrá una amnistía para su estatus, así como la hubo en el pasado. Por esa razón, es importante que todo inmigrante esté preparado para ese momento, en caso de llegarse a presentar.

Para poder calificar para un beneficio migratorio, se ha necesitado en algunos casos demostrar que la persona está viviendo de manera continua e ininterrumpida en los EE. UU. por esta razón, es importante guardar al menos un documento al mes que demuestre que se ha estado en EE. UU. ya que no se sabe cuándo se podrán necesitar.

Por ello es conveniente guardar recibos; extractos de cuentas de banco; documentos de la escuela o, en general, documentos que lleven su nombre, fecha y dirección; se deben organizar por años y mantener en un lugar seguro. Si es de aquellas personas que se mudan de manera constante, es aconsejable alquilar un pequeño espacio o bodega para guardarlos sin riesgo a perderlos.

13

Entrar a los EE. UU. con un permiso o visa de turista, afecta su visa si se queda más tiempo del permiso que le dieron al ingresar.

Elena entró a los EE. UU. con visa en el año 2010 y en el año 2015 decidió salir a su país de origen a visitar a su mamá, que estaba gravemente enferma. Ella salió vía aérea y regresó a EE. UU. de la misma forma con su visa de turista. Elena tiene ahora la oportunidad de poder legalizar su estatus porque se casó hace unos meses con un ciudadano americano, sin embargo, ignoraba que esta salida en el año 2015, podría derrumbar su posibilidad de poder normalizar su estatus, debido a la existencia de una ley que castiga a toda persona que estando dentro de los EE. UU. por más de un año después del 1 de abril de 1997, sin autorización o permiso, salga o intente ingresar nuevamente., esta ley es conocida como "La Ley del Castigo Permanente" que en realidad no es permanente porque su duración es de 10 años. Elena pensó que como su visa se la dieron por 10 años, todavía podía salir y entrar sin problema, a pesar de haberse quedado por más tiempo del que le dieron al momento de su primera entrada.

En el caso de Elena si se entra con una visa de turista o de trabajo temporal, y se queda por más tiempo del permitido, se debe saber que la consecuencia es que se ha perdido la visa. La duración de una visa por 10 años, no implica que pueda estar en EE. UU. por 10 años de manera continua, ya que después de que el primer permiso se venza, ya se empiezan a reunir los días de permanencia ilegal en EE. UU. y, dependiendo del tiempo que se quede, si es más de seis meses y menos de un año, se tiene un castigo de tres años; y si se ha quedado más de un año, el castigo es de 10 años. Si Elena no hubiese salido de EE. UU. este castigo no la habría perjudicado y hubiese podido hacerse residente legal sin tener que salir de este país, a través de lo que se conoce como el "Ajuste de Estatus".

Es importante que, si se está en esta situación, se consulte con un abogado para que evalúe si se puede calificar para presentar un perdón o en su lugar, determinar las opciones que se pueda tener para legalizar la situación en EE. UU.

14

Aplicar para la residencia por la creencia de que si se tiene un hijo ciudadano americano enfermo o discapacitado, esta es concedida, sin medir las consecuencias reales que esto puede traer a los padres que la solicitan.

Ana fue víctima de un notario quien haciéndose pasar por abogado, le hizo creer que, por el problema de salud de su hijo, ella podía obtener su residencia presentando una petición de su hijo a inmigración. Ana, con este anhelo de poder arreglar su estatus, presentó la solicitud para su residencia que este notario le preparó, ignorando que no hay un camino directo para hacerse residente a través de la petición de un hijo enfermo.

La petición para Ana fue negada y es posible que ahora ella tenga que defender su caso ante un juez de inmigración, puesto que, con los cambios actuales en la ley de inmigración, si a una persona le niegan su solicitud de residencia, es muy posible que lo pongan ante un juez para iniciar un proceso de remoción o deportación.

Por más difícil que sea la situación de salud de un hijo americano, no hay un camino legal para que los padres puedan hacerse residentes por la enfermedad de sus hijos. Los padres que estén pasando por esta circunstancia deben estar atentos para no caer en falsas expectativas, puesto que, en vez de obtener la residencia, podrán terminar en un proceso de remoción o deportación ante un Juez de Inmigración.

Ante un juez de inmigración, aparte de la enfermedad de los hijos, se requiere también del cumplimiento de más requisitos que se deben tener en cuenta para poder ganar su caso ante un Juez de inmigración, como el no tener cargos criminales, tener una buena conducta moral y estar en este país por 10 años o más.

15

Llevar 10 años o más tiempo en los EE. UU. no es un camino directo para obtener un permiso de trabajo o la residencia permanente

Rufino cayó en manos de un abogado inescrupuloso, quien le aseguró que por solo llevar 10 años en los EE. UU. podía acceder a un permiso de trabajo. Lo que ignoraba Rufino es que no hay una ley que permita que, por el solo paso del tiempo, un inmigrante pueda obtener un permiso de trabajo.

Así como Rufino, hay muchos inmigrantes que se dejan engañar por la falsa creencia de que existe una Ley de 10 años para poder arreglar los documentos de residencia. Tener 10 años en EE. UU. es uno de los requisitos que se le exigen a un inmigrante para defender su caso ante un juez de inmigración para no ser deportado o removido de EE. UU., los demás requisitos que también mencione en el punto anterior son: tener buena conducta moral, no tener cargos criminales y tener familiares ciudadanos o residentes como padres, cónyuge o hijos ciudadanos o residentes, quienes tendrían un perjuicio o daño más allá de lo normal o excepcional si el inmigrante es deportado.

16

Ingresar a los EE. UU. con visa de turista y contraer nupcias, estudiar o trabajar en los primeros 90 días, podría ser considerado fraude.

Mario entró a los EE. UU. en enero del 2019 con la visa de turista, y en febrero se casó con su novia americana. Inició su trámite para hacerse residente legal, pero se llevó una gran sorpresa, su petición fue cancelada por presunción de fraude, porque se había casado en los primeros 90 días de haber ingresado a los EE. UU. ignoraba por completo las consecuencias de haberse casado a las pocas semanas de haber entrado a EE. UU.

Si Mario hubiese estado enterado de las consecuencias de haberse casado en los primeros noventa días a su ingreso a los EE. UU. muy seguramente no lo hubiera hecho y no tendría ahora que salir de EE. UU., aplicar para un perdón y esperar en su país a que su caso se decida para poder regresar a los EE. UU. y disfrutar de su matrimonio.

En estos casos, se debe consultar con un abogado de inmigración si se planea casarse en EE. UU. y tiene una visa de no inmigrante, como la visa de turista.

17

¿Llevar marihuana puede afectar su situación migratoria?

Felipe tiene 25 años y es residente legal desde hace 4 años. Un día, saliendo de una fiesta, donde estuvo fumando marihuana, uno de sus amigos le dio un sobre con esta sustancia, posteriormente camino a su casa fue detenido por un Policía porque una de las farolas de su carro estaba apagada. La Policía encontró la marihuana y lo acusó de posesión y de manejar bajo la influencia de esta sustancia. Felipe ignoraba que fumar y llevar marihuana lo ponía en riesgo de perder su residencia. Él siempre pensó que la residencia no se podía perder, pero la realidad es otra, y ahora Felipe va a tener que defender su caso ante un juez para que no le quiten su residencia y ser removido de los EE. UU.

Tanto los residentes, como los que todavía no tienen definida su situación migratoria, deben tener claro que tener marihuana en su poder, puede afectar su estatus migratorio, ya sea en cantidades superiores a 30 gramos o aún si la cantidad es menor. Evítese dolores de cabeza y gastos por la contratación de abogados criminalistas y de inmigración que le ayuden a que esto no afecte su estatus migratorio.

18

Reprender a sus hijos con castigo físico –así sea una palmada– puede acarrearle acusación de violencia doméstica.

Miguel reprendió a una de sus hijas, y una vecina que escuchó el llanto de la niña llamó a la Policía, que se llevó a Miguel acusándolo de violencia doméstica. A raíz de esta situación, Miguel fue deportado de los EE. UU. Como tenía dos entradas sin autorización, Miguel tendrá que esperar un mínimo de 10 años en su país para tratar de regresar nuevamente a EE. UU.

Desafortunadamente, muchos padres sin documentos legales ignoran que reprender a sus hijos físicamente es un delito muy serio que puede conducirlos a la deportación, desconocen esta situación porque tal vez en sus países de origen las leyes no son tan severas.

Existen muchas formas de poder educar a los hijos sin que se tenga que utilizar maltrato físico, ya que estas conductas pueden traerles problemas con las autoridades que los llevarán a enfrentar procedimientos de inmigración para ser removidos o deportados de EE. UU.

19

Llevar licor en su carro, así ud no haya bebido le puede afectar y puede causarle problemas legales.

Carlos salió de una fiesta y en su carro llevaba botellas de licor abierto. Fue detenido por un oficial de Policía porque no puso la direccional a la hora de girar. El oficial, al ver las botellas, lo detuvo, y fue acusado por manejar bajo la influencia del licor, a pesar de que Carlos no había tomado aquella noche. Él ahora deberá defender su caso, contratar a un abogado para que le ayude y quedar libre de cargos en su historial que pueda afectar cualquier trámite futuro en inmigración.

Carlos desconocía que llevar botellas de licor en su carro en la parte delantera lo pondría en estos problemas, para evitar que esto le pase, nunca se debe llevar licor en el carro, a menos que lo lleve en la cajuela.

20

Tener un cónyuge ciudadano o residente legal, le podría arreglar su estatus legal si fuera víctima de maltrato físico y/o psicológico sin tener que reportar esta situación a las autoridades a través de la visa VAWA.

Sofía está casada con un ciudadano americano, quien la amenaza con llamar a inmigración para que la deporten si llega a reportar los abusos y maltrato psicológico del que es víctima por parte de él. Una compañera de trabajo le dijo a Sofía que necesitaba llamar a la policía y denunciar a su esposo para poder arreglar sus papeles. Lo que Sofía no sabía es que no necesita reportar o denunciar a las autoridades lo que su esposo le hace –como se lo dijo su amiga– para poder aplicar a un beneficio migratorio llamado Visa VAWA, al cual puede acceder sin que su esposo se dé cuenta y proveerle un medio seguro para que ella pueda hacerse residente en EE. UU.

La visa VAWA, a diferencia de la visa U, no necesita un reporte de Policía para poder arreglar sus papeles en EE. UU. porque este beneficio aplica si Ud. ha sido víctima de:

- Maltrato físico o psicológico y su cónyuge es ciudadano o Residente.

- Maltrato físico o psicológico por parte de sus hijos ciudadanos mayores de 21 años.
- Maltrato físico o psicológico por parte de sus padres ciudadanos o residentes y Ud. es menor de 21 años edad y además es soltero/a.
- Ud. no es un padre o madre maltratador y su esposo ciudadano o residente legal es quien maltrata física o psicológicamente a su hijo menor de 21 años soltero.

Si se está pasando por esta situación, no se debe dudar en buscar ayuda, hay muchas organizaciones, como iglesias a lo largo y ancho de los EE. UU. que prestan ayuda o asistencia, para lo cual se podrá contactar con un abogado para que le asesore con su caso.

21

Evite mentir al momento de presentar sus impuestos como soltero o cabeza de familia estando casado.

Uno de los errores o consejos que muchos preparadores de impuestos dan a los inmigrantes con el fin de recibir más dinero de reembolso de sus impuestos ("taxes"), es mentir acerca del estado marital, al decir que son cabeza de familia cuando en realidad están casados. Bajo las leyes de inmigración, al presentarse impuestos ("taxes") de una pareja que quiera legalizar el estatus de uno de ellos porque están casados, no pueden presentar unos impuestos ("taxes") donde se señala que uno de ellos es cabeza de familia en lugar de presentarlos como casados. Además de tener consecuencias serias con el IRS, también puede perjudicar su caso de inmigración, porque el oficial puede cuestionar la validez de la aplicación que están presentado puesto que están faltando a la verdad al presentar su caso en inmigración y decir que están casados y en sus impuestos ("taxes") presentarse como cabeza de familia.

No ponga en riesgo su caso de inmigración por querer tener un dinero extra de reembolso en sus "taxes" o impuestos, al que realmente no tiene derecho mintiendo sobre su situación matrimonial.

22

Debe divorciarse antes de casarse nuevamente, no importa que haya estado separado de su pareja por muchos años.

Una de las creencias entre muchos inmigrantes es que si no ha vuelto a saber nada de su pareja en años y desconoce dónde se encuentra, de manera automática ya se está divorciado. La situación real es que aún se está casado, y si el inmigrante se casa nuevamente sin haberse divorciado de su anterior pareja, con la falsa creencia que su anterior matrimonio no es válido, o que ya está automáticamente divorciado, su nuevo matrimonio es nulo; además, puede ser acusado de bigamia. Si además ha presentado alguna aplicación en inmigración bajo estas circunstancias, debe decirle a su abogado lo que pasa porque esto puede tener consecuencias negativas en su caso.

Antes de presentar cualquier aplicación con inmigración, busque un abogado que le ayude a divorciarse. Aún si no sabe el lugar de residencia de su expareja, lo mejor es consultar con un abogado de familia que le ayude con su trámite y evitarse problemas serios con inmigración por no haberse divorciado de su expareja y contraer matrimonio nuevamente.

23

Una petición presentada por sus padres residentes será cancelada si contrae matrimonio.

Luis tiene una petición de residencia de su madre, ella es residente legal desde el año de 1999. Luis lleva muchos años esperando a que la petición de su madre tenga al fin una visa disponible para que él pueda ser residente en EE. UU. En 2018, Luis se casó con María, sin saber las consecuencias que este matrimonio podía tener en la petición que su madre presentó para él, puesto que, al haberse casado por disposición de la ley, la petición que su Mamá envió quedó cancelada o revocada.

Si los padres son residentes legales y presentaron una petición de hijos solteros, esta petición se revoca o se pierde cuando el hijo se casa, no importa si después se divorcia, esta petición se pierde. Los residentes legales solo pueden pedir o aplicar por hijos solteros cuando envían la petición a inmigración.

24

Sus hijastros ciudadanos estadounidenses podrían ayudarlo en determinados casos en el trámite de su residencia, si se casó con el padre o la madre antes de que cumpliera el hijastro 18 años.

Cecilia lleva varios años viviendo en EE. UU, sin contar con la respectiva autorización, entró con visa de turista y se quedó en EE. UU. con el tiempo conoció a Jaime, quien no tiene un estatus legal. Jaime tiene un hijo de 17 años nacido en EE. UU. como Cecilia y Jaime se casaron antes de que el hijo de Jaime cumpliera los 18 años, Cecilia tendrá la oportunidad de hacerse residente legal a través de un procedimiento conocido como ajuste de estatus–dado que ella entró con visa a EE. UU. – cuando su hijastro cumpla 21 años.

Si Cecilia no se hubiese casado con Jaime antes de que su hijastro cumpliera los 18 años, ella no hubiera podido hacerse residente legal a través de la petición de su hijastro. Por el contrario, hubiera tenido que esperar a tener un hijo ciudadano de 21 años para poder aplicar para su residencia y no solamente, como sucede en este caso, esperar los 4 años que es lo que le falta a su hijastro para cumplir 21.

De igual manera si Ud. es ciudadano o residente legal y tiene hijastros sin una residencia legal, y se casó con el padre o madre antes que su hijastro cumpla los 18 años de edad, Ud. podrá pedirlos y dependiendo donde ellos se encuentren y/o como entraron a EE. UU será el tipo de procedimiento migratorio para que ellos puedan tener un estatus legal en este país.

Si tiene hijastros ciudadanos, o Ud. es ciudadano o residente legal y tiene hijastros sin estatus legal consulte con su abogado las opciones que pueden tener.

25

Si los hijos son admitidos a las fuerzas militares, los padres podrían solicitar un permiso para estar en EE. UU. conocido como "parole in place".

Muchos inmigrantes con hijos nacidos en EE.UU. desconocen la ventaja que puede tener el hecho de que sus hijos estén dentro de las Fuerzas Militares de EE. UU. Esta ventaja es conocida como el "parole in place", y le permite a los padres sin un estatus legal, aplicar para obtener un permiso para estar en este país y que además les permite el poder aplicar para un permiso de trabajo y los protege de ser removidos o deportados. El "parole in place" es también un camino hacia la residencia legal porque cuando es aprobado, y su hijo ciudadano cumpla 21 años, los padres podrían calificar para la residencia legal.

Si su hijo tiene la vocación militar y desea ser parte del ejército de este país, consulte con un abogado si califica para el "parole in place", puesto que, si cumple con los requisitos, entre ellos tener buena conducta moral, no tener cargos criminales o deportaciones previas, muy seguramente podrá postularse también para la residencia a través de este mecanismo legal.

Miremos este ejemplo, Pablo tiene dos entradas a los EE.UU sin un permiso válido, se casó en el 2000 con María quien también entró sin autorización en el 2001. Se casaron en el 2002 y tienen un hijo nacido en el 2003, quien acaba de ser admitido a las fuerzas militares. Gracias al parole in place, María podrá hacerse residente legal puesto que cuando habló con su abogado, le dijo que además de poder aplicar para el Parole in Place, si este es aprobado, ella también podía aplicar para la residencia, Pablo al tener dos entradas sin autorización, posteriores a 1998 no puede aplicar para la residencia, pero si podrá aplicar para el parole in place y si este es aprobado tendrá un permiso de trabajo y la tranquilidad de no ser removido o deportado de este país.

26

El servicio de voluntariado puede ayudarles en cualquier momento en su caso migratorio.

Si hay algo que puede ayudar a un inmigrante, ya sea porque presenta su solicitud para hacerse residente, o porque está en un proceso ante la Corte para evitar ser deportado, independientemente de si el inmigrante tiene o no cargos criminales, se debe tener en su récord que ha dedicado tiempo a ser voluntario en cualquier organización que acepte ayuda de este tipo. Esto es de gran importancia para demostrar una buena conducta, además de que esta acción habla muy bien de la persona, ayudándole en su caso de inmigración. Por esto, no se debe esperar a ofrecer esta ayuda solo cuando se inicia una aplicación con inmigración, sino desde antes, ya que no solo le ayuda con el trámite, sino que aportar al bienestar de la Nación.

27

Los cargos criminales nunca se borran con el paso del tiempo.

Existe una creencia entre muchos inmigrantes de que los cargos criminales se borran con el tiempo, esto es algo completamente falso, especialmente en inmigración. Los cargos criminales no se borran con el paso del tiempo, el hecho de pagar la multa, o se cumpla con el tiempo de supervisión o aprobación, no implica que el cargo quede borrado, o que se quede sin ese récord criminal, pues una cosa es cumplir con la sentencia impuesta por el Juez y otra muy diferente, que los cargos sean desestimados o que se lo encuentre inocente.

No hay que olvidar que si en alguna ocasión, ha sido detenido o arrestado o citado a una Corte por casos criminales, o declarado culpable, se debe informar esta situación a inmigración, no hacerlo afectaría el caso de inmigración, ya que, a pesar de haber pagado la multa impuesta por el juez, o haber cumplido con las horas de servicio comunitario impuestas, no significa que ya no se tengan cargos criminales en su contra o que estos ya quedaron borrados de su récord. Consulte con su abogado las implicaciones o consecuencias que esto pueda tener en su caso.

28

Ser residente legal, no implica que no pueda perder la residencia.

Isidro es residente legal desde los 18 años, cuando cumplió los 20 años lo detuvieron porque estaba manejando su vehículo bajo los efectos del alcohol y provocó un accidente con lesionados. A pesar de ser residente por dos años, Isidro fue colocado en un proceso de remoción a consecuencia de este DUI agravado. El hecho de que Isidro sea residente, no quiere decir que no pueda perder la residencia legal, o que tenga inmunidad para no ser removido o deportado de EE. UU.

Los residentes deben tener mucho cuidado de estar involucrados en actividades criminales o contravencionales, como por ejemplo lo son la violencia doméstica; la posesión de marihuana superior a 30 gramos; DUI con la licencia suspendida. En general estas conductas, pueden tener implicaciones serias que le pueden hacer perder la residencia o afectar su caso si está considerando hacerse ciudadano americano.

29

Salir de EE. UU. por más de 6 meses como residente y no informar esto, podría acarrear que se considere como abandono de residencia.

Algo que los residentes legales olvidan con frecuencia o ignoran (o simplemente se arriesgan), es salir de EE. UU. por más de 6 meses –algunos por años– con la creencia de que esto no afectará su residencia. Pero esto es en realidad exponerse al riesgo de perderla al ingresar a EE. UU. nuevamente, además que las autoridades lo interroguen por su larga ausencia, y que lo puedan colocar en procedimientos para despojarlo de la residencia por abandono.

Lo mejor, en caso de una larga ausencia, es informar a USCIS que esta será por más de 6 meses, dando las explicaciones del caso. Ahora si ocurre algo de improviso en su viaje después de haber salido de EE. UU. igual se debe informar a las autoridades consulares de EE. UU. para no poner en peligro la residencia al momento de regresar.

Ahora bien, si de todas formas no se informa la ausencia por fuera EE. UU, por más de 6 meses, no se debe firmar documento alguno que los oficiales le presenten al momento de ingresar a EE. UU. porque se podría estar abandonando o renunciando a la residencia. Lo mejor es pedir hablar con un abogado y defender el caso ante un Juez.

30

Siendo hombres residentes legales entre los 18 y 26 años, obliga a registrarse en el Sistema de Servicio Selectivo.

Esto es algo que aplica solo para los hombres en este rango de edad, por lo tanto, es importante registrarse porque si no lo hacen, y en el futuro quieren hacerse ciudadanos, deberán explicar las razones de su omisión. Es algo que no quita tiempo y en un futuro, si quiere hacerse ciudadano, le ahorrará explicaciones de su negligencia al no haberse registrado. En el siguiente link, encontrará la información necesaria acerca de esta obligación.

WWW.SSS.GOV/HOME/REGISTRATION

31

Trabajar con un seguro falso y utilizarlo para realizar transacciones constituye violación a la ley.

Muchos inmigrantes no encuentran otra posibilidad para trabajar que hacerlo con números de seguro social inventados, o que pertenecen a otra persona, y desconocen que hacer esto constituye una violación a la ley, o que esto es considerado un delito en EE. UU. y, si el inmigrante además de usar ese número para trabajar, lo utiliza para comprar una casa, carro o cualquier otro tipo de transacción comercial, esto es conocido como un delito denominado uso fraudulento o mal uso del Seguro Social, y también es considerado bajo la ley de este país como una conducta que atenta contra la moral pública y las obligaciones contraídas por todos en la sociedad. No ponga en riesgo la posibilidad de poder arreglar su estatus migratorio por no saber las consecuencias de usar el seguro de otra persona.

32

Intentar ingresar o entrar a EE. UU. con información falsa (nombre, fecha de nacimiento u otra nacionalidad) podría a futuro acarrear muchas dificultades en su situación migratoria.

Eduardo intentó ingresar a EE. UU. varias veces y en uno de esos intentos, cuando los oficiales le preguntaron su nombre, él se lo cambió y dio además otra fecha de nacimiento. Años más tarde, Eduardo se casa con una ciudadana americana, debido a que Eduardo se cambió el nombre y su fecha de nacimiento, ya no podrá aplicar para un perdón dentro de los EE. UU. porque mentirle a un Oficial en la frontera es una violación grave en la ley de inmigración, esto es considerado fraude para obtener un beneficio migratorio y deberá, en su caso, salir a su país de origen a presentar su entrevista y su perdón, debiendo esperar allá a que su caso sea decidido o resuelto.

Por haber dado información falsa cuando lo detuvieron en la frontera, Eduardo deberá esperar varios meses en su país de origen a que su caso sea decidido. Si Eduardo no se hubiera cambiado el nombre, él habría podido presentar su perdón dentro de los EE. UU. y, si su perdón hubiese sido aprobado, Eduardo habría salido a su entrevista en su país y habría tenido que esperar entre 1 y 2 semanas aproximadamente para poder regresar nuevamente a su hogar.

Nunca se le debe mentir a un oficial, así se lo aconsejen otras personas o se lo digan los mismos "coyotes", porque esto quedará registrado y en el futuro esto lo perjudicará si llega a tener la oportunidad de poder arreglar su situación migratoria.

33

Cometer un delito menor y solicitar un "expunge", o sea, que se lo borren, implica a futuro reabrir ese caso para pedir copia de la disposición y presentar ese documento o disposición para su caso en inmigración.

Juan fue acusado de robar en Walmart unos desodorantes en el 2016 y después de que su caso termino, él solicitó que le borren este cargo de su récord para que no apareciera en su historial criminal y no lo afectara cuando aplicara para un trabajo. Años más tarde, Juan inició su proceso para hacerse residente legal, pensó que como su récord había sido borrado, ya no tenía que mencionarlo en su caso de inmigración, pero cuando finalmente llego el día de su entrevista, esto salió a la luz. La oficial le pidió copia de su récord y como lo había borrado, Juan tuvo que contratar a un abogado para que reabriera el caso; o sea, debió reversar el "expunge" que se había hecho y poder así tener la copia y poderlo presentar al oficial de inmigración.

Si tiene un récord criminal y piensa que en un futuro puede tener la opción de la residencia en EE. UU, o de hacerse ciudadano, no debe borrar su récord, aún si esta posibilidad existe, porque será un problema para su caso de inmigración, si en un futuro tiene la opción de hacerse residente legal.

34

En caso de ser detenido por ICE necesita un poder de abogado para que sus hijos menores de edad no queden al cuidado de extraños.

Si tiene hijos menores de edad en EE. UU, y los padres no tienen un estatus legal, es muy importante que los padres tengan un poder de abogado para que, en caso de una ausencia de los padres, como por ejemplo ser detenidos por ICE, puedan dejar sus hijos al cuidado de alguien de su confianza, para que los menores no se vean rodeados de extraños al terminar en manos del gobierno, durante la ausencia de sus padres mientras la situación con las autoridades de inmigración es decidida. Este poder de abogado generalmente tiene una duración de un año, se requiere de dos testigos y se recomienda notarizarlo. Se debe consultar con un abogado en el Estado donde se vive para que saber cuáles son los requisitos que se necesitan para tener este documento. Cada estado en EE. UU. puede tener reglas diferentes.

35

Estar en EE. UU por más de un año sin autorización, salir y volver a ingresar sin autorización bloqueara sus opciones de poder ajustar su estatus legal en este país.

Esta es quizás una de las situaciones que más afecta a los hispanos en general, especialmente a las personas de México por ser un país vecino, que para poder legalizar su situación en EE. UU. deben esperar por más de diez años fuera de su país y es lo que comúnmente se llama castigo permanente– que no es permanente en realidad, puesto que tiene una duración de 10 años - y bloquea la posibilidad de ser residente porque la persona afectada con este castigo deberá salir de EE. UU. por un período de 10 años y así, luego aplicar para poder regresar a EE. UU. de manera legal.

Este castigo consiste, en que si después del 1 de abril de 1997, una persona lleva un año en total en los EE. UU. sin autorización y sale y vuelve a ingresar, o intenta entrar sin permiso, la persona tiene este castigo de manera automática. Igualmente, si alguien está intentando ingresar a EE. UU. por primera vez y fue detenido y removido o expulsado en la frontera a través de lo que se conoce como deportación exprés, y la persona después de esto ingresa de todas formas a EE. UU., no podrá arreglar su situación, a pesar de que no haya estado anteriormente en EE. UU. El hecho de entrar después de ser removido en la frontera hace que se aplique este castigo.

Muchos se ven precisados a salir porque un ser querido en sus países enfermó y salen de EE. UU. ignorando la existencia de este castigo.

Guadalupe entró a EE. UU. el 1 de noviembre del año 2000 y en el año 2005, su mamá enfermó gravemente. Ella salió en avión y al regresar la detuvieron en la frontera, en su tercer intento, logró cruzar la frontera. Años más tarde se casa con un ciudadano americano, pero esta situación de haber salido después de haber estado en EE. UU. por más de un año y haber reingresado, así no la hayan descubierto, le imposibilita ser residente, a menos que salga de EE. UU. por 10 años, o que califique para la visa U.

36

Los récords de inmigración jamás se borran con el tiempo.

Así como hay la creencia que los cargos criminales se borran con el tiempo, existe también la idea que las detenciones de inmigración, o las deportaciones, o los récords de inmigración, se borran con el paso del tiempo. Ello es completamente falso, ningún récord de inmigración, por antiguo que éste sea, se borra con el tiempo. Es importante que todo inmigrante que tenga la opción de tener su residencia en EE. UU. le informe a su abogado cualquier situación que haya tenido con inmigración. Cualquier omisión pensando que su récord se borró, podría tener un impacto negativo en su caso.

37

Mientras que en los países latinoamericanos sí, en EE. UU. los notarios públicos no son abogados.

En los países latinoamericanos los notarios públicos son abogados, por ello han debido estudiar y prepararse para ofrecer este servicio en sus países. En los EE. UU. es diferente, para ser Notario no se requiere ser abogado, ni tener estudios superiores. Desafortunadamente, esto ha sido aprovechado por muchos Notarios en EE. UU. para hacer creer a los hispanos que son abogados y que, por lo tanto, saben lo que están haciendo. Esto no es así, después de que una aplicación es enviada a inmigración sin que las personas cumplan con los requisitos para lo que están aplicando, o si existe un impedimento legal, ya no hay vuelta atrás y las consecuencias son muy severas. Cuando el caso es negado, el aplicante, o inmigrante, será puesto en procedimientos para ser removido de EE. UU. y deberá, ahora, defender su caso ante un Juez de inmigración.

38

No pagar las multas o no cumplir con las horas de servicio comunitario, que un juez le ordene puede traerle consecuencias no solo criminales sino que también podría colocarlo en proceso de remoción o deportación.

Si hay algo que se debe tomar muy en serio en EE. UU. es cumplir con la sanción o el castigo impuesto por un Juez. Ignorar esto, especialmente si se trata de un inmigrante, puede colocarlo en las puertas de una posible remoción o deportación de los EE. UU.

Felipe tenía un ticket por exceso de velocidad, muy seguramente no era el primero que le habían impuesto. El juez le impuso como sanción horas de servicio comunitario, las cuales no cumplió. Meses después, fue detenido por otra violación de tránsito y puesto en prisión por no haber cumplido la sanción impuesta del servicio comunitario ordenada por el Juez, debido a esto, después de que salió de Prisión, fue puesto a disposición de inmigración para iniciar un proceso de remoción.

Todo esto se hubiera podido evitar si Felipe hubiese sido consciente de que en EE. UU. las sanciones impuestas por los Jueces se deben cumplir sin importar que se trate de un ticket de tránsito por exceso de velocidad, o por no llevar el cinturón puesto, o hablar por celular mientras conduce, entre otras conductas.

39

Cumplir los mandatos de la señales de tránsito es importante.

Al igual que el punto anterior, una de las razones por las cuales los inmigrantes son puestos en procesos de remoción o deportación son las sanciones de tránsito. Es común en los países latinoamericanos que las normas de tránsito sean consideradas como meras sugerencias, ya que no son tenidas en cuenta como una orden legal, como por ejemplo no cumplir con los mandatos de las señales de tránsito, como son los pares o los límites de velocidad, manejar sin licencia, no tener seguro del vehículo, o que las luces no estén funcionando, entre otros. Al llegar a EE. UU. se puede pensar que es lo mismo, este desinterés de dar cumplimiento   a las normas de tránsito, muchas veces son la causa principal para que el inmigrante sea colocado en proceso de remoción o deportación.

La violación a estas normas de tránsito no solo conlleva que el infractor sea sancionado por la infracción, sino que puede dar motivo para que el detenido sea acusado de cargos más graves como un DUI, o sea, conducir bajo los efectos del alcohol. Actualmente, el tener dos o más DUI es considerado un factor fuertemente negativo que puede determinar que el inmigrante sea removido de EE. UU.

40

Si va a solicitar asilo debe presentar su solicitud en el primer año de haber ingresado a EE. UU.

Ana ingresó a los EE. UU. proveniente de Venezuela hace dos años, venía huyendo de la persecución política de su país, presentó su solicitud de asilo a USCIS a los dos años y medio de haber ingresado a EE. UU. La solicitud fue negada puesto que debía haberla presentado en el primer año después de haber ingresado a EE. UU., ahora tendrá que defender su caso en la Corte de inmigración. Si Ana se hubiera enterado que si presentaba la solicitud de asilo antes de que se cumpliera el año de su ingreso a EE. UU. ella hubiese tenido dos posibilidades de defender su caso de asilo (una ante USCIS, que se conoce como asilo afirmativo, y la otra ante un Juez, conocida como asilo defensivo).

41

Sacar la licencia de conducir implica informarse bien, pues cada estado tiene sus propias reglas.

Las infracciones de tránsito, incluidos los DUI, son quizás la razón qué más colocan a los inmigrantes en procesos de remoción o deportación. Manejar sin licencia de conducir es una de ellas y muchos ignoran que en la actualidad hay varios estados en los EE. UU. que le permiten a un inmigrante tener licencia de conducir aún si no tiene un estatus legal como residente o un permiso para trabajar. Estos Estados son: California, Nevada, Utah, Colorado, New México, Washington, Illinois, Vermont, Massachusetts, Maryland, Delaware, Washington D.C., New Jersey, New York y Puerto Rico. Cada Estado tiene sus propias reglas, la información acerca de los requisitos es proporcionada generalmente por las Secretarías de Estado. El inmigrante generalmente debe probar que reside en el Estado para que le asignen una licencia de conducción, si reside en uno de estos Estados y aún no tiene su licencia para conducir, se debe poner en contacto con la Secretaría de Estado para que le brinden información sobre lo que se necesita para conseguirla.

42

Abrir la puerta de su casa si a ella llegara ICE , no es obligación, a menos que tengan una orden firmada por un Juez con dirección y nombres correctos.

Gabriel se encontraba en su cuarto durmiendo, el cual es alquilado, en este sitio hay más personas viviendo con él en la misma casa. Un día cualquiera llegaron agentes de ICE buscando a Pepito Pérez, una de las personas que vivía en la casa abrió la puerta a los oficiales que preguntaron por Pepito Pérez, la persona que abrió la puerta los dejó ingresar y los agentes de ICE aprovecharon esta oportunidad para interrogar a todas las personas que vivían en la casa, entre ellos a Gabriel, que fue detenido y esposado, y llevado a un centro de detención de ICE.

Los agentes de ICE no lo estaban buscando a él; sin embargo, se dio la oportunidad para que estos agentes se llevaran a las personas que no tenían un estatus legal en los EE. UU. si la persona que abrió la puerta supiera que no tenía por qué abrirla y mucho menos dejarlos ingresar, nada de esto hubiera pasado y Gabriel no estaría enfrentando un caso de remoción y deportación frente a un juez.

El nerviosismo ante una situación como ésta hace que el

inmigrante olvide que tiene derechos, no importa el lugar donde se encuentre a agentes de ICE, ya sea en la casa, calle, o en algún otro lugar, se debe recordar que como inmigrante se tienen derechos y que éstos son divulgados a través de los medios de comunicación. A continuación, encontrará lo que debe saber si un agente de ICE se cruza en su camino:

Recuerde:

- No conteste ninguna pregunta, o dígales que quiere permanecer callado.
- No responda preguntas acerca de dónde nació o cómo entró a los EE. UU.
- Puede llevar consigo una tarjeta sobre sus derechos para que se la entregue al oficial.
- No abra la puerta de su casa. Para poder entrar en su hogar los agentes de ICE deben tener una orden firmada por un Juez. Exija que le enseñen la orden del juez que esté firmada, con su nombre y dirección correctos. No abra la puerta para que se la enseñen. Pida que se la pasen por debajo de la puerta o por el vidrio de una ventana.
- No necesita abrir la puerta para hablar con el oficial.
- También les puede decir: "Yo necesito hablar con mi abogado".
- Su abogado puede estar presente si ICE u otro oficial de la ley le hace preguntas.
- No firme ningún documento que ellos le presenten. En este documento puede estar renunciando a su derecho de consultar con un abogado, o de presentarse ante un juez de inmigración. No firme ningún documento del cual no entienda lo que dice.
- No lleve con usted su pasaporte o documentos de su país.
- Si tiene Green Card, o un permiso de trabajo o un parole in place, llévelos siempre con usted.
- Es importante que memorice el número de teléfono de un amigo, familiar, o abogado a quien pueda llamar si es arrestado.
- Recuerde tener un poder de abogado para dejar designado a alguien de su confianza el cuidado de sus hijos menores de edad, en el caso de ser arrestado.
- Mantenga sus documentos civiles, tales como actas de nacimiento, o pasaportes, en un lugar seguro, donde sus familiares los puedan encontrar.
- Si tiene un número de extranjero que empieza con la vocal A, memorícelo y que sus familiares lo sepan.

43

Si entró a USA con una visa de turista u otro tipo de visa, puede solicitar un cambio de estatus a otro tipo de visado antes que su visa o permiso expire.

Karina entró a USA con visa de turista y planea abrir su negocio de limpieza, ella puede, antes de que su visa de turista se venza, aplicar para la visa de negocios E1/E2, ya que su nacionalidad se lo permite, y realizar el trámite directamente en EE. UU. sin tener que salir. Ahora, si Karina deja que su visa de turista se venza sin haber realizado este trámite, ya no podrá solicitar este cambio de estatus, por lo tanto, deberá salir y hacerlo desde su país de origen.

Así como Karina, hay inmigrantes que entran con visa de turista o cualquier otra visa de no inmigrante y desean cambiarla a otro tipo de visado, como por ejemplo la visa de estudiante, o negocios. Este trámite se debe adelantar antes de que la visa de turista o el visado que se tenga expire o se venza para que la visa de estudiante, de negocios, o a la que se quiera aplicar, tenga posibilidad de ser aprobada.

44

Calificar para la visa U o visa VAWA, no implica el ser citado junto con su expareja ante un Juez o las oficinas de inmigración.

Guadalupe fue víctima de abuso sexual por parte de su novio, ella reportó esto a las autoridades, colaboró con ellos y el agresor fue sentenciado por lo que hizo. Con los años, Guadalupe se enteró que podía calificar para la visa U y que podía tener la posibilidad de ser residente en EE. UU. a través de este trámite. Sin embargo, una amiga en su lugar de trabajo, le dijo que ella iba a tener que presentarse a inmigración con su exnovio para que ella pudiera calificar. Ella decidió no seguir adelante con este trámite porque no quería en ninguna circunstancia tener que volver a ver a su agresor.

Guadalupe dejó pasar el tiempo y no aplicó para la visa U porque no quería verse enfrentada a esta situación. Con el paso de los años, ella se dio cuenta de que esto no era cierto y decidió empezar el trámite para que la Policía certificara lo que le había ocurrido, pero, lamentablemente, la Policía no quiso firmar la certificación que ella necesitaba para poder iniciar el caso con USCIS, porque ya habían pasado varios años del incidente.

Nunca en un trámite de visa U o visa VAWA la persona que

es víctima o que está aplicando para este beneficio migratorio será citada junto con el agresor. La ley no lo exige y este temor de verse enfrentados a esta situación ha hecho que muchas mujeres u hombres perdieran la oportunidad de verse beneficiados a través de este tipo de visas o beneficio migratorio.

45

Estar pendiente de los permisos de trabajo para renovarlos cuando corresponda.

Jaime tiene un permiso de trabajo que le fue otorgado porque está en un proceso de remoción o deportación frente a un Juez de inmigración. Él recibió este permiso de trabajo por un año y, gracias a esto, tiene la oportunidad de poder trabajar. Lo que Jaime pasó por alto es que la Corte no le iba a informar que tenía que renovar su permiso de trabajo, y él no lo hizo, por tal razón perdió su trabajo y ahora debe empezar el trámite de su renovación hasta que obtenga uno nuevo.

Existe la creencia entre muchos inmigrantes que los permisos de trabajo se renuevan automáticamente, o que migración siempre les va a recordar renovarlo, pero esto no es así, la responsabilidad del inmigrante debe ser la de estar pendiente de los vencimientos de los permisos de trabajo para poder iniciar el trámite de renovación con tiempo, ya que, en muchas ocasiones, esto toma meses, lo que conlleva a que pierdan los trabajos en los cuales se encuentran.

46

Registrarse para votar siendo residente legal puede traer consecuencias.

Elizabeth es residente legal y se presentó en la Secretaría de Estado para renovar su licencia de conducir. cuando estaba haciendo el trámite, le pasaron el documento de registro para votar y ella lo diligenció pensando que no le traería ningún inconveniente si lo llenaba y lo entregó. Posteriormente, recibió el comprobante de este registro por correo. Con el tiempo Elizabeth quiso aplicar para la ciudadanía y durante la consulta con su abogado, éste le preguntó si se había registrado para votar, a lo cual ella respondió que sí, y le contó a su abogado cuándo se registró. Ante esta situación, el abogado de Elizabeth le recomendó cancelar este registro porque ella como residente legal no puede votar, pues es un derecho que solo pueden ejercer los ciudadanos. Ahora Elizabeth deberá esperar 5 años para poder hacerse ciudadana y demostrar que no tuvo mala intención a la hora de registrarse, solo estuvo mal informada, y confiar que la explicación que ella presente sea aceptada para poder aplicar para la ciudadanía, sin que ello le afecte.

Si se registró para votar, o ha votado siendo residente legal o sin tener un estatus legal, se le debe contar al abogado antes de enviar cualquier aplicación a inmigración, porque esto puede tener consecuencias negativas en la situación migratoria en EE. UU.

47

Creer en lo que le dicen otras personas acerca de inmigración sin consultar con un abogado.

Casi en el 90% de mis consultas las personas me dicen que escucharon algo referente a inmigración por parte de un amigo, la comadre o el compadre, un vecino, el compañero de trabajo, en fin, de cualquier persona, que en general no conocen el ordenamiento legal y pueden llegar a hacerles caso a cualquiera de estos comentarios, sin haber consultado con un abogado de inmigración y presentar una aplicación para solicitar un beneficio migratorio de cualquier naturaleza.

Reza un refrán que: "lo barato sale caro" y esto muchas veces es lo de menos, porque presentar una aplicación sin tener fundamentos legales, como lo dije anteriormente, puede acarrear consecuencias graves para el que lo hace, pues bajo los nuevos parámetros en la ley de inmigración, esta persona puede terminar en un proceso de deportación, que es lo que muchos quieren evitar a toda costa.

Cada caso es diferente, porque cada persona tiene una historia distinta. Las fechas, las detenciones, lo que se dijo, o no se dijo, marcan una gran diferencia a la hora de presentar una aplicación a inmigración. No es fácil para una persona entender por qué no puede tener una residencia o un permiso de trabajo cuando ven que su amigo o familiar, que está en una situación muy similar a la de esta persona, logra ser residente u obtener una autorización para trabajar.

Es el mismo desconocimiento de la ley de inmigración lo que hace creer que todos los casos son iguales, sin importar esos hechos particulares que los hacen diferentes a unos de otros. Factores como una simple fecha pueden marcar la diferencia para que una aplicación o petición sea exitosa o no.

Por lo anterior, es aconsejable siempre evitar poner en riesgo su futuro en EE. UU. al dejar en manos de personas no capacitadas o en falsas creencias, de que su caso es igual a otro. Consulte   su caso con un profesional y dé toda la información así piense que no es importante. Esos pequeños detalles pueden marcar la diferencia o cambiar completamente su posibilidad de ser o no residente en EE. UU.

48

Creer que es obligatorio para una mujer llevar el apellido del esposo al casarse.

Es muy común o frecuente que en los EE. UU. las mujeres, a la hora de casarse, lleven el apellido de su esposo, borrando el apellido de su padre. Esto no es común en los países de Latinoamérica o en el resto del mundo, donde todavía existe la opción para las mujeres de llevar la preposición "de" antes del apellido de su esposo.

Muchas mujeres que se casan en los EE. UU. creen que es obligatorio hacer este cambio, pero la realidad es otra. No es obligatorio, aunque sí es práctico, porque facilita trámites en la escuela de los hijos y en inmigración, además que puede ayudar como parte de la evidencia que se debe presentar para demostrar que se está casada. Pero si la mujer opta por no cambiarse el apellido, esto no afecta su caso de inmigración, puesto que no es obligatorio hacerlo.

49

No iniciar un trámite en inmigración sin solicitar su récord si tuvo detenciones en la frontera o cualquier interacción con oficiales de migración.

- Jacinto fue detenido al ingresar a la frontera en 1999, por ello le tomaron sus huellas, le hicieron firmar un documento y a las pocas horas ya estaba de regreso en su país.

- Marco fue detenido en su trabajo por agentes de ICE, quienes le hicieron firmar unos documentos y lo sacaron de los EE. UU. en un avión con más personas.

- Luis estaba entrando por el aeropuerto de Chicago con su visa de turista, fue interrogado acerca de los propósitos de su viaje y determinaron o descubrieron que había estado trabajando anteriormente. Su visa fue cancelada y fue regresado a su país de origen en el siguiente vuelo.

- Erika tiene una petición presentada en el año de 1998, por un beneficio al que ella no podía aplicar. Su caso fue negado y en la actualidad ella puede presentar una nueva solicitud a través de su esposo, sin embargo, ella no recuerda la información qué suministró en esa primera aplicación.

Todas las anteriores situaciones en las cuales los inmigrantes han tenido contacto con agentes de la patrulla fronteriza, con agentes de ICE, o con agentes en el aeropuerto, o con oficiales de USCIS, requieren ser manejados con mucha precaución. No importa cuándo hayan ocurrido, la persona que desea iniciar un trámite debe antes solicitar su récord de inmigración. Cada caso, como el de Marco, Luis, Erika o Jacinto, requiere un FOIA diferente puesto que no hay un solo tipo o clase de récord o FOIA, y es muy importante solicitar el que se necesita de acuerdo con la situación vivida.

Desafortunadamente, muchos inmigrantes, como se expone en otro acápite, creen que estos récords se borran con el tiempo, o que todos los historiales o récords son iguales, y solicitan el que no aplica para su caso, poniendo en grave riesgo cualquier aplicación que deseen presentar. Recuerde que cada situación puede requerir un récord diferente. Se debe consultar con un abogado para que le ayude a determinar cuál es el realmente necesita.

50

Trabajar en EEUU con otra identidad afectara las posibilidades de que pueda ser residente legal.

Antonio ha trabajado con la identidad de otra persona desde que llegó a los Estados Unidos. En la actualidad, está casado con una ciudadana quien depende de él y necesita todo su soporte, tanto emocional como financiero. Antonio tiene además la petición de su hermano, la cual fue presentada antes del 30 de abril del 2001, petición que tiene un beneficio muy especial, bajo las leyes de inmigración, porque les permite arreglar su estatus en los Estados Unidos sin tener que salir, si se cumplen otros requisitos, como por ejemplo el pago de una multa de 1000 dólares.

La petición del hermano de Antonio tiene como fecha el 1º de enero de 1999 y por disposición legal, Antonio tiene que demostrar que él ya estaba en los Estados Unidos en diciembre 21 del año 2000, para poder tener este beneficio. Desafortunadamente como Antonio tiene toda su información y documentos con el nombre de otra persona no posee la documentación que le pueda ayudar a demostrar que el estaba aquí en los Estados Unidos en esa fecha, o sea el 21 de diciembre de 2000, por lo tanto Antonio ha perdido la oportunidad de poder arreglar su estatus legal sin tener que salir del país a través de ese beneficio.

El hecho de que trabaje con otro nombre, el cual en muchos casos son inventados; hace difícil demostrar que el inmigrante trabaja aquí en los Estados Unidos, qué es autosuficiente y que no depende del Gobierno. En la gran mayoría de las veces, el inmigrante piensa que es fácil cambiar esto o que no va a tener ningún tipo de consecuencia legal en su caso y la verdad es que esto está muy lejos de la realidad especialmente bajo el nuevo ambiente migratorio.

No arriesgue su futuro en este país, trabajando con documentos de otra persona.

51

Tener tatuajes relacionados con "gangs" (pandillas).

Ernesto llegó a EE. UU. cuando tenía 10 años, sus padres lo trajeron sin una autorización, al entrar a la Escuela junto con sus amigos pensó que era divertido mandarse hacer tatuajes relacionados con "gangas" (pandillas) de sus países. Esto, además, les daría cierto estatus frente a sus otros compañeros de la escuela. Años más tarde Ernesto es detenido por violaciones de tráfico y los oficiales de Policía tomaron información y fotografías de sus tatuajes. Ernesto está ahora casado con Ana, que es ciudadana americana, y tienen una familia con 3 hijos, ahora Ernesto quiere ser residente en EE. UU. a través de su esposa aplicando para un perdón.

Ernesto cuando se hizo estos tatuajes nunca pensó que lo fueran a afectar y que podrían tener repercusiones legales en el ámbito de inmigración.

Las personas que están relacionadas con "gangs" (pandillas) no tienen la posibilidad de tener un estatus legal en los EE. UU. o de aplicar para un perdón. En el examen médico que tienen que presentar, el medico reseña todos los tatuajes que tiene la persona y, en el caso de Ernesto, es más grave su situación porque la Policía reseñó todos estos tatuajes.

Hay muchas clases de tatuajes artísticos, familiares, que no afectan la situación legal de la persona en el plano de inmigración. Por ello, si alguna vez se piensa hacerse un tatuaje, debe pensarlo muy bien, averigüe si ese tatuaje está relacionado con una "ganga" o pandilla porque esto podría perjudicar y poner en grave riesgo su caso futuro de inmigración.

52

Pensar que un ciudadano o residente legal puede solamente presentar una sola petición al mismo tiempo.

Luis está casado con Ann, quien es ciudadana americana. Ann presentó una petición por su madre, que se encuentra en Bolivia. Luis y Ann estaban convencidos de que ella solo podía presentar una petición a la vez, desconociendo que ella podía presentar la petición por su esposo y ayudarlo así en su camino a ser residente legal, sin tener que esperar a que el trámite de su mamá terminara. Luis perdió tiempo valioso para iniciar su trámite porque sencillamente pensó que su esposa no podía pedirlo al mismo tiempo que la de su mamá.

Un ciudadano o residente legal puede pedir a los familiares que la ley de inmigración le permita al mismo tiempo sin tener que esperar a que termine una aplicación para iniciar una nueva. Los ciudadanos al igual que los residentes, pueden pedir a sus cónyuges, hijos mayores o menores de edad, ya sean solteros o casados, a sus padres y hermanos.

Los residentes legales pueden presentar peticiones por sus parejas, hijos menores de edad, e hijos mayores de edad solteros.

53

Tener visa de turista y al llegar a los EE. UU. estudiar o trabajar.

Los sistemas de bases de datos del departamento de inmigración cada vez están mejor estructurados, permitiendo recopilar la mayor información posible de inmigrantes y de no inmigrantes. Una de las preguntas que más hacen es qué se puede hacer cuando cancelan una visa de turista. Una de las razones por las cuales este tipo de visado es cancelado es porque las autoridades de inmigración encuentran que la persona ha estado en los EE. UU. por más tiempo que el permitido, o estuvo estudiando o trabajando.

Esto es cada vez más fácil de ser detectado, y ¿cómo los oficiales de inmigración se dan cuenta de esto? En un gran porcentaje es usted quien da esa información para que su visa sea cancelada, cuando los oficiales examinan sus anteriores entradas y el tiempo de permanencia ha sido largo y usted está intentando ingresar nuevamente al poco tiempo de haber salido, también cuando lleva un equipaje muy grande para una estancia corta de vacaciones, lleva mascotas, viaja solo estando casado, trae niños menores de edad que no son suyos haciéndole el favor a los padres de entrarlos a EE. UU. porque los padres no tienen un estatus legal, o son sus hijos pero nacieron en este país, también su celular es una gran fuente de información para que los oficiales puedan darse cuenta de sus reales intensiones para entrar a EE. UU., llevar en su equipaje documentos civiles como actas de nacimiento, matrimonio o divorcio son otra causa por la que su visa puede ser cancelada, el que las personas a las que usted va a visitar sean familiares sin un estatus legal y estén esperándolo en el aeropuerto, en este caso no solamente usted corre el peligro de cancelación de su visa sino que también sus familiares pueden verse seriamente perjudicados si los oficiales de inmigración los buscan en el aeropuerto puesto que los pueden colocar en un proceso para ser removidos o deportados de los EE. UU.

Cuando una visa de turista es cancelada por un uso inapropiado, va a ser muy difícil que la vuelvan a otorgar. El afectado deberá esperar varios años para poder intentarlo y demostrar que tiene lazos fuertes para regresar a su país.

54

No salga de EE. UU sin consultar con su abogado si tiene una petición o una solicitud pendiente con el departamento de inmigración

- Felipe tiene un permiso de trabajo que le otorgaron porque tiene un caso pendiente en la Corte de Inmigración.

- Juan tiene un permiso de trabajo porque tiene una solicitud amparada bajo las 245(i), porque su hermano lo pidió antes del 30 de abril del 2001.

- Guadalupe tiene un permiso de trabajo porque aplicó para el beneficio conocido como Daca.

- Rocío tiene un permiso de trabajo porque su Visa VAWA o su Visa U fueron aprobadas.

- Carmen tiene un permiso de trabajo porque su solicitud de asilo está en proceso.

Todas estas historias son ejemplos de personas que están en los EE. UU. y que cuentan con un permiso de trabajo. Es muy importante que si alguien tiene un permiso de trabajo consulte con su abogado antes de emprender cualquier viaje fuera de los EE. UU. la razón de esto es que obtener un permiso de trabajo no otorga permiso para salir y entrar del país. Si en alguno de los ejemplos anteriores, la persona sale con el permiso de trabajo pensando que al regresar a los EE. UU. podrá hacerlo presentando este permiso al Oficial, el resultado puede ser completamente devastador porque la entrada puede ser negada, o si lo dejan entrar será colocado en un proceso de remoción o deportación ante un juez de inmigración.

55

Salir de EE. UU. por más de 6 meses, siendo residente legal puede ser cuestionado por la ayuda pública que haya recibido al regresar nuevamente a EE. UU.

Si bien las reglas sobre carga publica no afectan a los residentes legales, si hay una situación en la cual los residentes pueden verse afectados por solicitar este tipo de ayudas y esto puede ocurrir cuando son interrogados al ingresar a EE. UU. y su estadía fuera de este país haya sido superior a 6 meses.

El estar un largo período de tiempo fuera de los EE. UU. es abrir la posibilidad que al entrar los oficiales le indaguen sobre su prolongada ausencia y sobre la ayuda pública que usted haya recibido y lo presionen ya sea para que abandone o renuncie a su residencia o que le den la orden para presentarse ante un juez de inmigración. Si le pasaré esto, lo aconsejable es no firmar ningún documento aceptando lo que allí se dice, por el contrario, se debe pedir hablar con un abogado, ya que como residente se cuenta con la posibilidad de defender el caso ante un juez

56

Cuidarse de salir de territorio estadounidense, si no es residente legal, al visitar por ejemplo las Cataratas del Niágara.

Visitar las Cataratas del Niágara (que en lengua iroquesa significa "Trueno de Agua") puede ser una experiencia enriquecedora. Su inmensidad y belleza dejan una huella indeleble en el recuerdo de quienes las visitan. Este lugar acoge a diario turistas de los EE. UU., Canadá y el resto del mundo, siendo uno de los destinos más fascinantes del planeta por su belleza natural. Estas cataratas son compartidas a su vez por los dos países, EE. UU. y Canadá, y es por esta razón que, al viajar como turista inmigrante a conocer este lugar, debe advertir previamente que su GPS, se ha programado para guiarlo hacia las cataratas, sin salir del territorio norteamericano.

Una familia de los EE. UU. decidió irse de paseo a este maravilloso lugar natural junto a otros familiares. Para hacer el viaje, el ciudadano conductor programó su GPS, confiado plenamente que este dispositivo le llevaría sin problemas a su anhelado destino. Posteriormente advirtieron en el GPS que estaban en territorio canadiense, pero ya no podían retroceder y retornar sin problemas a su destino de origen. Esto se convirtió en una situación insalvable, pues al ser ellos inmigrantes sin documentos y sin una situación de estatus legal debidamente resuelta, teniendo que regresar nuevamente a territorio de los EE. UU. pasando inevitablemente por una inspección. No había opción diferente de entrar, aun cuando los oficiales fronterizos los pusieron en una situación de remoción o deportación ante un Juez de Inmigración.

Las oportunidades de poder legalizar su situación para esta familia aún después de 25 años de vivir en los EE. UU. eran muy pocas. Un paseo terminó convirtiéndose en tragedia.

Si se planea visitar las Cataratas del Niágara, se debe verificar con cuidado que el destino que le traza al GPS no sea Canadá, pues al regreso se podría ver inmerso en un proceso de remoción o deportación.

57

Aplicar para un perdón provisional por estar en los EE. UU sin autorización es posible a través de padres o esposos residentes.

Un padre, o cónyuge ciudadano, o residente pueden ser de gran ayuda para aplicar a un perdón en los EE. UU. Esta posibilidad de obtener este perdón a través de los esposos o padres ciudadanos o residentes existe hace varios años y fue gracias al presidente Barack Obama, que hoy se puede realizar este trámite si sus padres o cónyuge son residentes.

Sin embargo, todavía hay muchas personas que desconocen este beneficio y por lo tanto no acceden a él, dejando escapar esta valiosa oportunidad de resolver a su favor su estatus legal. El camino para obtener este perdón a través de los padres residentes o ciudadanos requiere de un análisis cuidadoso del caso para que este perdón le sea aprobado. Una situación en la que muchos inmigrantes se pueden encontrar es el no tener padres residentes legales, pero si tienen hermanos ciudadanos que puedan presentar una petición por sus padres y así ellos al hacerse residentes legales, podrán ayudar a sus hijos en el tramite de su perdón.

Cuando hable con su abogado dígale el estatus de todos sus

familiares cercanos para que de esta manera el abogado pueda determinar la mejor estrategia legal para poder ayudarlo.

58

Es residente legal y está pensando en aplicar para hacerse ciudadano de EE.UU? Entonces preste mucha atención a la pregunta número 22 de la aplicación de Ciudadanía.

El Departamento de Homeland Security, ha creado una unidad especializada para revisar ciudadanías otorgadas a residentes legales, esta nueva unidad tiene como objetivo revisar aplicaciones para la residencia donde se presentó fraude y también investigar a quienes respondieron en forma negativa la pregunta número 22 de la aplicación de ciudadanía. En la pregunta número 22 se pregunta, si el residente alguna vez ha cometido, ayudado a cometer o intentado cometer un crimen u ofensa de la cual no haya sido arrestado y haya respondido negativamente a esta pregunta y que posteriormente al otorgamiento de la ciudadanía, el ahora ciudadano sea acusado de un acto criminal de un hecho ocurrido mientras era residente legal.

Puedo decir que el 100 % de las personas a las cuales les he ayudado a hacerse ciudadanos de este país han respondido a esta pregunta con un rotundo NO, pienso que una de las razones de esto es que es difícil que alguien responda positivamente a esta pregunta, si nunca ha sido arrestado o acusado.

Uds. se podrán preguntar cuando esto podría ser posible?

Por ejemplo, hay delitos de índole sexual y también delitos cometidos contra el fisco o el IRS los cuales pudieron haber sido cometidos durante el tiempo en el que la persona fue residente, pero de los cuales nunca se presentaron cargos criminales en contra de esta persona. Durante el tiempo en el que ha sido residente, pero que pueden salir a relucir tiempo después de que la solicitud de ciudadanía ha sido aprobada y se comienza una investigación criminal en su contra por esos hechos ocurridos durante el tiempo en el que la persona fue residente y si es encontrado culpable, este residente puede estar en un gran riesgo de perder su ciudadanía, y dependiendo de las circunstancias podría también perder la residencia. Por esta razón es fundamental, que, si usted está en esta situación, consulte con un abogado experimentado para que lo asesore sobre las posibles consecuencias o alternativas que usted pueda tener, en el caso de aplicar para la ciudadanía.

José es residente legal desde hace tres años, y hace un año acoso sexualmente a una compañera de trabajo. Ella no reportó lo ocurrido a las autoridades. Dos años más tarde Jose aplica para su ciudadanía y cuando su abogada le preguntó la pregunta número 22 de la aplicación para la ciudadanía su respuesta fue NO, que no había cometido ningún delito del cual no haya sido acusado.

Jose es ahora ciudadano americano, y su gran preocupación es que su ex-compañera de trabajo lo acuse de lo paso en ese entonces, porque si lo hace, José corre el riesgo de perder la ciudadanía e incluso la residencia legal. Jose deberá consultar con un abogado experimentado en el área criminal y en inmigración para que pueda estar preparado en el caso de que esto llegara a ocurrir.

59

Evitar como padres traer a sus hijos a los EE. UU sin un permiso o autorización.

Traerse a sus hijos ilegalmente o sin un permiso para cruzar la frontera afecta seriamente a los padres al momento de intentar legalizar su situación migratoria, puesto que son obligados a solicitar un perdón por esta acción fuera de los EE. UU.

Ese fue el caso de Carmen y Martín, que ingresaron a EE. UU. en el año 2000, trayendo consigo a sus dos hijos sin un permiso. Con el paso de los años, los hijos han tenido la opción de legalizar su situación migratoria, mientras que los padres no tienen esa opción. Infortunadamente, la ley no les permite solicitar el perdón dentro de los EE. UU. y los obliga a solicitarlo desde afuera y esperar a que este sea decidido.

En resumen, muchos inmigrantes ignoran que traerse a los hijos sin permiso, acarrea consecuencias legales muy graves porque esto es considerado tráfico de personas así se trate de sus hijos, especialmente bajo la actual administración, que no permite esta situación.

Padres inmigrantes que trajeron a sus hijos desde sus países de origen se han convertido en víctimas de estafadores a quienes no les importa que estas personas deban esperar meses o hasta años en sus respectivos países a que sus perdones sean decididos, porque nadie les advirtió esta situación. Los padres que llegaron a los EE.UU. con sus hijos sin autorización, ya sea que hayan entrado con los mismos padres o alguien se los trajo, pueden presentar un perdón por esta infracción a la ley de inmigración, fuera de los EE.UU.

Recuerde decirle a su abogado si Usted inmigro a EE. UU. con sus hijos sin un permiso, para que no se vea en la situación de tener que esperar a que su perdón sea aprobado fuera de este país por meses o hasta años.

60

Evitar animar o ayudar a otros a entrar a EE. UU. sin autorización.

Así como el caso anterior, traer consigo a los hijos sin permiso conlleva implicaciones legales para los padres, estos aún pueden tener la oportunidad de aplicar para un perdón. Existen casos que no tienen ninguna posibilidad de ser perdonados y las consecuencias legales pueden ser muy severas, puesto que alentar o ayudar a alguien a que migre a los EE. UU. sin una autorización es un delito muy serio bajo la ley de inmigración, que no tiene perdón.

Esto fue lo que le sucedió a Enrique, una persona que estando dentro de los EE. UU. y siendo residente legal en California, recibió una llamada de uno de sus familiares que le pedía ir a recibir a María, quien tenía 16 años de edad que estaba detenida en San Isidro porque estaba intentando cruzar la frontera sin permiso. Cuando Enrique acudió a recoger a su familiar en San Isidro, fue detenido por las autoridades de inmigración e interrogado durante horas, puesto que ellos tenían la sospecha de que Enrique había animado a María a emprender ese viaje y, por ende, él estaba siendo cómplice del intento de ingreso de forma ilegal de su pariente a los EE. UU. Esta situación le trajo muchas dificultades e implicó que Enrique tuviese que contratar un abogado para no perder su estatus migratorio y su permiso de residencia legal.

La recomendación es no alentar o ayudar a nadie a viajar a los EE. UU. de forma ilegal porque las consecuencias de esto son irremediables para su futuro en EE. UU. pues no hay perdón que lo ampare.

61

Utilizar redes sociales inapropiadamente podría afectar su caso de inmigración.

¿Quién no tiene ahora una cuenta en Facebook o en Instagram o en cualquiera de las plataformas de las redes sociales? Ahora el departamento de inmigración puede chequear esta información ya sea que usted esté solicitando una visa de inmigrante o de no inmigrante. Lo que usted publique puede ser utilizado en su contra o, al mismo tiempo, puede ayudarle o perjudicarle al establecer evidencia para su caso.

Carlos estaba intentando ingresar a los EE. UU. con su visa de turista por el aeropuerto de Chicago. El oficial le pidió su celular y, al revisar sus cuentas se dio cuenta de que tenía publicaciones acerca de su viaje, las cuales daban a entender que sus intenciones no eran solo de turismo sino de quedarse a vivir y trabajar en los EE. UU. Su ingreso fue negado, su visa fue cancelada y regresado en el siguiente viaje a su país.

Luis, ciudadano americano, está presentando una solicitud para su esposa. En la entrevista con el oficial en las oficinas de inmigración en la ciudad de Houston le pidieron su celular y allí encontraron en sus redes sociales fotos comprometedoras que no indicaban que estuviera casado con la persona que él estaba pidiendo; por el contrario, se presentaba como un hombre soltero. Esto afectó seriamente su caso de inmigración con consecuencias legales para su esposa y para él por fraude.

Estos son tan sólo algunos ejemplos de cómo la información que tenemos en nuestras redes sociales puede tener un impacto serio en el trámite migratorio.

62

Solicitar un permiso o "parole" para salir de los EE. UU. y salir antes de que éste sea otorgado tiene consecuencias.

Mario, ciudadano salvadoreño quien tiene TPS desde hace varios años, solicitó un permiso para poder salir de los EE. UU. porque su madre sufrió un accidente. Mario decidió salir antes de recibir la aprobación de su permiso viajando en avión desde Houston hacia El Salvador. Mientras estaba en El Salvador, su permiso fue aprobado y su hermano, quien vivía también en los EE. UU. lo recibió y se lo envió por correo a Mario. Antes de que el permiso para regresar a los EE. UU. se venciera, Mario regresó, y en el aeropuerto no lo dejaron ingresar a EE. UU. El oficial le dijo que había salido de los EE. UU. antes de que su permiso hubiese sido aprobado.

Si usted necesita un permiso o "parole" para salir de los EE. UU., no salga antes de tener en sus manos la aprobación de éste. Y si se lo otorgan, asegúrese de regresar antes de que se venza, porque de lo contrario le podrían negar el ingreso nuevamente a los EE. UU.

63

Comprar, consumir o trabajar en lugares donde la marihuana está estatalmente permitida puede afectar a cualquier persona que no sea ciudadana.

Si usted no es un ciudadano americano, debe tener mucho cuidado con las reglamentaciones acerca del uso, consumo, compra de marihuana, o de trabajar en lugares donde la comercialización de la marihuana esté permitida, o aún tener familiares ciudadanos que vivan bajo su mismo techo que trabajen en lugares donde se produzca, comercialice o distribuya esta sustancia porque bajo las leyes federales de los EE. UU., estas situaciones son consideradas un acto criminal y pueden colocar incluso a los residentes legales en un proceso de remoción o deportación. No es necesario tener cargos criminales, la sola admisión frente a un oficial es suficiente para que el no ciudadano se vea afectado desde el punto de vista migratorio por el uso, compra de marihuana, o trabajar en lugares donde esté permitida esta sustancia.

Tanto las personas que ingresan a EE. UU. con una visa de no inmigrante, por ejemplo, de turista, como los que viven en EE. UU. y no son ciudadanos, deben tener en cuenta esta recomendación. No importa si en el estado donde vive el uso de la marihuana está permitido, debe recordar que a lo largo y ancho de los EE. UU. leyes federales consideraran el uso, compra, comercialización o distribución un acto criminal que puede afectar su futuro en EE. UU.

64

Evitar omitir información acerca de antecedentes criminales en su país de origen al aplicar para una visa de inmigrante o de no inmigrante.

Julián durante su juventud tuvo problemas con la justicia que lo llevaron a estar en prisión algunos meses cumpliendo la condena impuesta por las autoridades de su país. Han pasado varios años desde aquellos incidentes y Julián decide viajar a EE. UU. para encontrar un mejor futuro. Él ingresa sin permiso y vive en New York, donde conoce a Joan, una ciudadana americana, con la que lleva 5 años de casado y tienen dos hijos – uno biológico y una hijastra. Julián decide aplicar para un perdón provisional, el cual es aprobado y, como parte del procedimiento para hacerse residente, debió salir a una entrevista en su país de origen. Tanto la petición de su esposa como el perdón fueron aprobados. Él no mencionó sus antecedentes puesto que ocurrieron hace varios años y no pasaron en EE. UU. Julián tuvo mucha suerte en su entrevista y su visa fue aprobada sin problema regresando como residente legal. Al cabo de tres años, Julián aplicó para la ciudadanía y durante este trámite fue interrogado acerca de su pasado en su país de origen, específicamente si tenía cargos criminales a lo cual negó tener récord, como lo había

.

hecho anteriormente. Julián pensó que jamás descubrirían su pasado criminal, especialmente porque han pasado muchos años, a raíz de esto Julián debe ahora defender su caso para que no le cancelen su residencia y no sea removido o deportado de EE. UU. por haber ocultado está información desde un principio cuando solicito su residencia.

Infortunadamente, como le paso a Julián, hay muchos inmigrantes que por temor a que su residencia sea negada ocultan su historial criminal en su país de origen, porque piensan que las autoridades de EE. UU. no lo descubrirán. En la actualidad existen acuerdos de cooperación que permiten tener acceso a esta información.

En muchos casos, el historial criminal podría no afectar al inmigrante, pero el ocultar y negar está información trae consecuencias muy serias que hacen más difícil poder tener un estatus legal en EE. UU. para lo cual se debe pedir un perdón por haber ocultado información desde un principio. Recuerde, si tiene récord criminal en su país origen, por leve que Ud. lo considere, debe consultar con un abogado de inmigración antes de iniciar cualquier trámite.

65

Aplicar para la Visa U, por ser víctima de violencia doméstica, no solamente es para mujeres u hombres que han sido víctimas de su pareja.

Ana, una inmigrante ecuatoriana, cuando tenía 16 años fue víctima en su hogar de continuas golpizas por parte de su hermano, un ciudadano americano que vivía bajo el mismo techo. Cansada de esta situación, Ana decidió llamar a la policía pidiendo además una orden de protección porque su hermano la amenazó por haberlo denunciado a las autoridades. De esto ya han pasado 10 años, viviendo con las consecuencias emocionales de lo ocurrido. Ana siempre supo de la posibilidad de poder aplicar para la Visa U porque había escuchado que las mujeres víctimas de sus parejas podían acceder a este beneficio migratorio. Además, amigas de ella ya eran residentes por haber aplicado para la Visa U a raíz de la violencia sufrida por parte de sus esposos.

A pesar de que han pasado 10 años de lo ocurrido, Ana se enteró que podía aplicar para la Visa U por la denuncia que hizo de lo que paso con su hermano. Siempre había sido su entender que solo las mujeres casadas, víctimas de sus esposos, podían aplicar para la Visa U. Afortunadamente ella logró conseguir que la policía, donde reportó el incidente, certificara lo ocurrido, para que ella pudiera adelantar el trámite de la Visa U.

No solo las mujeres u hombres casados son víctimas de violencia doméstica, ya sea por abuso sexual, emocional, económico, psicológico, amenazas, o acoso, sino que también pueden ser víctimas los padres por parte de sus hijos o los hijos por parte de sus padres, los hermanos como en el caso de Ana, las parejas así no estén casadas y, en general, todo aquel que sufra violencia doméstica por parte de familiares y aún hasta extraños que cohabiten bajo el mismo techo, para aplicar para el beneficio de la Visa U no importa el estatus legal del agresor, en otras palabras no es necesario que este sea ciudadano o residente legal.

Si Ud. ha sido víctima de violencia doméstica, consulte lo más pronto posible con un abogado porque el dejar pasar meses o hasta años podría ser contraproducente en algunas ocasiones para que las autoridades certifiquen el delito del cual Usted ha sido víctima.

66

Dar a luz durante una estancia en EE. UU. y permitir que los gastos del parto sean cubiertos con dineros públicos puede ser causal de la pérdida de la Visa de turista.

Muchos desean que sus hijos tengan la nacionalidad americana, a pesar de que los padres no vivan en los EE. UU., por los beneficios que esto podría darles a los hijos y eventualmente a los padres en el futuro al tener está nacionalidad. En procura de lograr este objetivo, la visa de turista en especial, pero en general, toda visa de NO inmigrante, ha sido utilizada como la oportunidad para entrar a EE. UU. y tener a su hijo, puesto que la Constitución de los EE. UU. reconoce como ciudadano americano a todo aquel que haya nacido en territorio estadunidense.

Debido a los altos costos médicos que conlleva el tener un hijo en EE. UU, las madres muchas veces no cubren los gastos médicos con sus propios recursos económicos, sino que utilizan la ayuda financiera que el gobierno les puede brindar en esta circunstancia, ignorando que el tener un hijo con una visa de no inmigrante, como la de turista, puede traer repercusiones muy serias para los padres por haber utilizado recursos públicos para cubrir los gastos médicos. Bajo las leyes de inmigración, especialmente en el actual clima migratorio, el utilizar recursos públicos a estos efectos podría conllevar a que la visa de los padres sea cancelada al intentar regresar a EE. UU., o renovar su visa, y ser cuestionados sobre los recursos económicos empleados durante el parto.

Si por cualquier razón, mientras se está en los EE. UU. con una visa de turista o de no inmigrante, se ve en la situación de tener un hijo en EE. UU., se debe tener en cuenta que se podría perder la visa, si utiliza recursos públicos para el parto o afectar un futuro tramite migratorio en EE. UU.

67

Ser infiel al cónyuge puede poner en tela de juicio su buena moral a la hora de aplicar para la ciudadanía.

Ser ciudadano americano es un gran honor y privilegio, por esta razón, uno de los factores a ser considerado por las autoridades es la buena conducta moral del residente. La infidelidad al cónyuge no descalifica automáticamente al residente que quiere ser ciudadano, ni lo pone en riesgo de perder su residencia, pero sí puede postergar hasta en un término de 5 años ese anhelo de ser ciudadano. Tal vez se está preguntando cómo el gobierno podría darse cuenta de esto y la respuesta está en los mismos documentos que se presentan en la solicitud de ciudadanía.

Es su obligación presentar las actas de nacimiento de todos sus hijos, tanto de los biológicos, como de los adoptados, ya que, por ejemplo, los oficiales, podrían interrogar sobre por qué el cónyuge no aparece como el padre o la madre. Igualmente, podría suceder que las actas de divorcio, donde no se incluyan a todos los hijos, podría dar pie para cuestionamientos o aclaraciones que puedan llevar al Oficial a la conclusión de que le fue infiel a su cónyuge.

Cada caso es diferente y puede existir una explicación para

esto, como sería el caso de una separación de su pareja, es muy importante que le comente esto a al abogado, para que lo asesore sobre los riesgos que podría tener en su naturalización, o tener las explicaciones del caso que demuestren su buena conducta moral para ser ciudadano americano.

68

Evitar ocultar a alguno de los hijos, ya sean biológicos, adoptivos o civiles, en los trámites migratorios donde se solicite está información.

Ernesto, ciudadano hondureño, tiene una hija nacida en su país, pero Ernesto no se casó con la madre. Años más tarde, inmigra a EE. UU. donde conoció a Margot, ciudadana americana. Se casó con Margot, durante este matrimonio Ernesto aplicó para un perdón provisional a través de un notario público, quien le dijo que no era necesario que mencionara a su hija extramarital puesto que no era hija de su actual esposa americana. Ernesto siguió está recomendación, su perdón fue aprobado y Ernesto salió a su entrevista en Tegucigalpa, la cual fue exitosa concediéndole su visa.

Ernesto regresó a EE. UU, como residente legal. Años más tarde (para ser exactos 5 años), Ernesto presenta su solicitud para ser ciudadano, en una de las preguntas de la aplicación le indagan sobre todos sus hijos y este menciona a su hija extramarital, quien ha vivido siempre en Honduras. Ernesto fue cuestionado del porqué no mencionó la existencia de su hija en la petición de su esposa para la residencia, ni en el formulario para su visa en Honduras, conocido como ds-260. Ernesto siempre argumentó que jamás tuvo la intención de ocultar la existencia de su hija y que sólo siguió la recomendación del notario que le ayudó con el trámite, y que, puesto que su hija no era fruto de la relación con la ciudadana americana y, además, su hija no tenía intención de vivir en EE. UU., el consideró no importante decir su nombre. Infortunadamente para Ernesto, la petición de su ciudadanía fue negada y fue colocado en un proceso de cancelación de su residencia puesto que, para los oficiales de inmigración, el hecho de no haber mencionado a su hija desde un principio es considerado fraude o engaño, y su residencia fue otorgada sin saber toda la verdad acerca de sus hijos.

Ernesto nunca tuvo la intención de mentir y en su caso particular el tener una hija extramatrimonial no hubiera afectado el proceso de su residencia, pero el mal consejo de un notario público ha colocado a Ernesto en una situación a la que ningún inmigrante quisiera verse enfrentado. Siempre se debe dar información completa a las autoridades de inmigración porque como en este caso, el no mencionar a sus hijos puede acarrear serias consecuencias, las cuales pueden necesitar tiempo, dinero y preocupaciones innecesarias para poder solucionar.

69

Informarse a la hora de contraer matrimonio con persona del mismo sexo, si se quiere ser residente legal de EE.UU.

Tanto las parejas homosexuales como las heterosexuales gozan de todos los beneficios migratorios sin importar su orientación sexual. En otras palabras, si el matrimonio entre parejas del mismo sexo es válido en el país donde lo celebraron, las leyes migratorias de los EE. UU. reconocen los mismos derechos a la hora de aplicar para un beneficio migratorio a estos matrimonios, ya sea que se presenten en calidad de peticionarios, beneficiarios o aplicantes.

Recordemos que en todos los Estados de EE. UU. el matrimonio entre parejas del mismo sexo es válido, pero no en todos los países del mundo es reconocido como tal. Por lo tanto, si su pareja se encuentra en un país donde el matrimonio entre parejas del mismo sexo no es válido y desea traerlo(a) a EE. UU. deberá casarse en los EE. UU. y pedir a su pareja a través de la Visa de novios o, si se es residente legal, deberá hacerse ciudadano para poder pedir a su prometido(a).

Es muy importante que antes de dar un paso al presentar una solicitud al departamento de inmigración consulte con un abogado que le confirme si el matrimonio entre personas del mismo sexo es válido en el país donde vive su prometido(a), a menos que su pareja ya se encuentre en EE. UU. para que tome la mejor decisión en el caso de que desee aplicar en calidad de esposo(a) o de novio(a).

70

Respecto al Real ID o identificación Real.

Desde el 1 de octubre del 2021, todas aquellas personas que necesiten entrar a un edificio federal, volar en vuelos comerciales regulados por normas federales, o entrar a plantas nucleares necesitarán una identificación que cumpla con las regulaciones de las agencias federales, entre ellas, el Departamento de Seguridad Nacional conocido como DHS y TSA. Las licencias de conducir o los documentos de identificación dados por el estado podrán seguir siendo utilizados para los fines descritos solamente si han sido otorgados conforme a los estándares de seguridad requeridos para el REAL ID; en otras palabras, la licencia de conducir seguirá sirviendo para su propósito, pero ya no le servirá, por ejemplo, para tomar un vuelo comercial doméstico si no ha sido otorgada como REAL ID, para lo cual necesitará aplicar para tenerlo.

¿Dónde? Se debe consultar en la agencia de su Estado donde expiden las licencias de conducir. ¿Cómo sabe si el documento que tiene ahora le sirve? En la parte superior del documento debe estar cualquiera de las siguientes marcas:

Si no tiene el REAL ID, puede utilizar su pasaporte válido sin expirar para tener acceso a los lugares enunciados arriba.

¿Qué pasará si no tengo el REAL ID y necesito tomar un vuelo comercial? Seguramente tendrá inconvenientes para abordar, deberá demostrar su identidad con otros documentos y tal vez le permitan tomar el vuelo, si ya no lo ha perdido ante este inconveniente. Por esta razón es muy importante que, si se es inmigrante, se confirme si puede tener este REAL ID para evitar exposiciones innecesarias de su situación legal en EE. UU. en estos lugares.

El no tener el REAL ID no establece ninguna presunción de que la persona que no lo posea no tenga un estatus legal migratorio, puesto que se puede tener un documento que no sea un REAL ID, sin que implique que no se esté legalmente en EE. UU.

**¡Felicitaciones! Ud. tiene
la llave del éxito.**

GLOSARIO

---

245 (i): permite que ciertas personas con una solicitud de visa de inmigrante presentada antes el 30 de abril del 2001 y que entraron sin inspección o que han violado de otra manera su estatus puedan ser elegibles para solicitar el ajuste de estatus en los EE. UU. pagando una multa de $1,000.

Visa VAWA: beneficio en la ley de inmigración para los cónyuges, padres e hijos maltratados física o mentalmente de ciudadanos estadounidenses o residentes legales permanentes para que puedan auto peticionarse y tener su residencia legal.

VISA U: una visa de no inmigrante para las víctimas de crímenes (y sus familiares inmediatos) que han sufrido abuso mental o físico sustancial mientras están en los EE. UU. y que han colaborado con las autoridades en la investigación o enjuiciamiento de los agresores.

Bigamia: es el acto de casarse nuevamente sin haberse divorciado o disuelto un matrimonio anterior.

Parole in Place: decisión discrecional tomada por USCIS para permitir que ciertos familiares de militares que entraron a los EE. UU. sin inspección permanezcan aquí temporalmente.

USCIS: es una agencia federal que supervisa la inmigración legal a los EE. UU., así como el proceso de ciudadanía. Es un componente del Departamento de Seguridad Nacional.

Sistema Servicio Selectivo: es una agencia independiente del gobierno de los EE. UU. que mantiene información sobre aquellos potencialmente sujetos a reclutamiento militar.

Poder de abogado: autorización que se da a un tercero o a un abogado para representar a la persona que lo está otorgando.

Infractor: es la persona que no respeta o acata las normas legales.

Indagar: es el acto de averiguar o investigar.

TPS: protege a los extranjeros de ciertos países que están en los EE. UU. de ser regresados a su país de origen si su retorno se ha vuelto peligroso durante el tiempo que han estado en los EE. UU. y regresar los pondría en riesgo de violencia, enfermedad o muerte.

Visa de novios: es una visa que le permite al prometido(a) de un ciudadano americano poder viajar a los EE. UU. a contraer matrimonio dentro de los primeros 90 días a su entrada a EE. UU.

DACA: es un acrónimo de la política de Acción Diferida para los Llegados en la Infancia. Es un programa del gobierno federal que fue creado por Barack Obama en 2012 para permitir que los niños inmigrantes sin un estatus legal en los EE. UU. permanezcan en el país.

DHS: es un acrónimo de Departamento de Seguridad Nacional, es una agencia federal diseñada para proteger a los EE. UU. contra las amenazas.

TSA: es Administración de Seguridad en el Transporte, es una organización gubernamental que trabaja para proteger los sistemas de transporte de la Nación.

ICE: es un acrónimo de Inmigración y Control de Aduanas (ICE), es un componente del Departamento de Seguridad Nacional de los EE. UU. (DHS) responsable de hacer cumplir las leyes federales de inmigración y aduanas. Sus poderes incluyen investigar, aprehender, arrestar, detener y remover o deportar extranjeros dentro de los EE. UU.

Reglamentación: conjunto de normas o reglas relacionadas a una actividad o cosa.

Carga Pública: en inmigración significa cuando un inmigrante ha utilizado o se ha beneficiado de programas o ayudas otorgadas por el gobierno federal, estatal o local.

Exento: que está libre de verse afectado o perjudicado por una obligación, culpa o compromiso.

TANF: es un programa de ayuda financiado por el gobierno federal que permite a los estados crear y administrar sus propios programas de asistencia para las familias necesitadas.

CHIP: el Programa de Seguro Médico Para Niños (CHIP) es un programa federal de atención médica, administrado y dirigido por cada estado.

WIC: es un programa de asistencia federal del Servicio de Alimentos y Nutrición del Departamento de Agricultura de los EE. UU. para la atención médica y la nutrición de mujeres embarazadas de bajos ingresos, mujeres lactantes y niños menores de cinco años.

Otorgar: dar o reconocer una cosa, beneficio o derecho a alguien.

AVISO

La ley de inmigración esta en constante cambio, por esta razón es importante que siempre haga evaluar su caso en manos de un abogado. En mi página de Facebook estaré anunciando los cambios que afecten o modifiquen el contenido de este libro.

www.facebook.com/LilianaJonesMunoz

ACERCA DEL AUTOR

La abogada Liliana Jones tiene licencia en el estado de Illinois y en la República de Colombia y más de 20 años de experiencia profesional. En 2014 fundó HISPANIC AMERICAN LEGAL SERVICES, LTD. Empresa que dirige en la actualidad con el objetivo de ofrecer sus servicios a la comunidad hispana que reside en los EE. UU.

Obtuvo su título de abogada en Colombia, donde fue una de las estudiantes más destacada durante su carrera y merecedora de honores académicos. También tiene una Especialización en Alta Dirección y Derecho Comercial en Colombia.

Durante 10 años fue directora del departamento legal de un importante conglomerado comercial ubicado en Colombia. Su valiosa experiencia profesional, así como su conocimiento de la ley colombiana y estadounidense, le ha permitido hacer una transición en su carrera. Ahora enfocándose en la comunidad hispana en los EE. UU. y la población latinoamericana, ofreciendo asesoramiento legal sobre la Ley de Inmigración en las áreas de casos familiares y comerciales.

Como inmigrante, ella ha experimentado desde el principio hasta el final el proceso de ser residente y ciudadana de EE. UU.; por esta razón, junto con su experiencia como abogada, profesionalidad y capacitación, puede comprender sus necesidades. No solo como abogada, sino también como persona que sabe cómo se siente ser un inmigrante en los EE. UU.

www.lilianajones.com

 /LilianaJonesMunoz   /LilianaJonesMunoz

 /in/liliana-jones/   Hispanic American Legal Services

Made in the USA
Coppell, TX
23 June 2021

57960863R00092